Не делай добра, не получишь зла.
Добро должно зарабатываться.

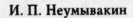

И. П. Неумывакин

ОЗДОРОВИТЕЛЬНАЯ СИСТЕМА ПРОФЕССОРА И. П. НЕУМЫВАКИНА

Ваша родословная

Москва — Санкт-Петербург
«ДИЛЯ»

УДК 613.2
ББК 53.59
Н 57

Неумывакин И. П.

Н 57   Оздоровительная система профессора И. П. Неумывакина. *Ваша родословная.* — СПб.: «Издательство «ДИЛЯ», 2016. — 254 с.

ISBN 978-5-4236-0343-4

Человек представляет собой частицу Природы, нарушение
законов которой приводит к заболеваниям. Человек, идя по
пути наименьшего сопротивления, искусственно создает для
себя вредные привычки, например прием жидкости во время и
после еды, нарушает все физиологические процессы, происхо-
дящие в организме. Теория «помойного ведра» (закисление
организма), предлагаемая автором, как нельзя лучше объяс-
няет причину возникновения заболеваний, характер которых
не имеет значения, и как добиться того, чтобы быть здоровым.
Об этом рассказано в данной книге.

ПРЕДИСЛОВИЕ

Как ни странно, я никогда ничего не боялся и даже свой карьерный рост ни во что не ставил. Если я начинал что-нибудь делать, для меня не существовало никаких авторитетов. Так, например, после гибели В. М. Комарова я понял, что медицина в данном случае бессильна и нужно искать другие пути решения проблем. Трагический полет космонавта В. М. Комарова показал, что жизнь космонавта зависит от многих обстоятельств и может оборваться мгновенно. В то время на меня уже работали фактически все специалисты земной медицины (см. мою книгу «Космическая медицина — земной»). Но тогда не хватало высококлассных реаниматоров.

В 1960-х годах как раз формировалось это новое направление в медицине. Так как в 1971 году предстоял очень сложный полет, то я обратился к руководству Института выделить мне для обеспечения полетов реаниматоров. На что мне ответили: «На вас и так работает вся страна. Идите и не мешайте нам работать». Я ответил: «Я на вас буду жаловаться». В ответ я услышал произнесенное почти беззвучно: «Пошел вон». Вероятно, вы никогда в жизни не встречали такого идиота, как я: военный, подполковник (такое звание было тогда у меня) пишет жалобу на всемирно известного ученого, академика, генерал-лейтенанта.

На следующий день я прихожу в приемную, чтобы вручить директору Института рапорт. Мне говорят: «Вас не велено принимать». Из другой комнаты выходит его заместитель и спрашивает: «Что у вас?» Отвечаю: «У меня рапорт». — «Отдайте его секретарю». Отвечаю: «Если я его сейчас отдам, то весь институт будет стоять на ушах». — «Что у вас там? Зайдите ко мне в кабинет». Читает рапорт, разрывает его и говорит: «Идите и подумайте о последствиях такого шага». Отвечаю: «У меня есть копия».

Еще для меня было важно то, что я уже трижды тонул, один раз был уже в трубе, которая соединяет этот мир с иным миром. Побывав там и послушав небесную музыку, космическую благодать, я уперся всем, чем можно, стал умолять вернуть меня на Землю, уверять, что я занимаюсь фантастической работой, которую никто кроме меня не выполнит. Мне пришел ответ: «Хорошо, мы вам будем помогать, но вы начнете писать книги». Причем перед моими глазами за это мгновение прошла вся моя предыдущая жизнь и я четко увидел ясную дорогу будущего.

Но вернусь к истории с реаниматорами. Я с большой долей вероятности увидел, что космонавты в готовящемся полете погибнут. Я твердо заявил, что мне нужны реаниматоры, потому действовал настойчиво и, как многим казалось, безрассудно. Я, не ходя на работу в течение недели, добился того, что был принят министром здравоохранения *Б. П. Петровским*. Перед этим я связался с одним из работников КГБ, генерал-лейтенантом *Ханселеровым*, который очень серьезно занимался с ясновидящими людьми, и те также подтвердили, что возможность гибели космонавтов в готовящемся полете очень высока.

В это время в Институте был подготовлен проект приказа о моем отчислении, чтобы другим было неповадно писать жалобы на своих начальников.

На проведенном совещании я доказал, что существующая служба космонавтов совершенно не готова для работы в сложных необычных условиях. Так как у меня оставались еще деньги, я создал свое собственное конструкторское бюро. Теперь у меня были все необходимые мне службы, охватывающие все области Министерства здравоохранения и смежных предприятий.

Приказом министра здравоохранения в соответствии с требованиями мне было выделено достаточное количества анестезиологов, врачей и медицинских сестер-реаниматоров. За 4 месяца до полета я готовил их для работы в необычных условиях. Была создана портативная реанимационная укладка весом до 8 кг, способная обеспечить помощь сразу двоим пострадавшим.

При подготовке полета еще на Земле произошла нештатная ситуация. Если при подготовке полета один из членов экипажа, например, заболевает, то его заменяет дублер. Если же это случается на старте, то весь основной экипаж заменяется дублирующим. Так случилось, что у одного из членов основного экипажа, командиром которого был *А. А. Леонов*, обнаружили какое-то пятно в легких. Экипаж был снят с полета, и в Космос отправился дублирующий экипаж во главе с *Г. Т. Доброволь-ским*. Можно было понять состояние *А. А. Леонова*.

К сожалению, мой прогноз оправдался: экипаж в составе *Г. Т. Добровольского, В. Н. Волкова, В. И. Пацаева* погиб при посадке. Реаниматоры сделали все возможное, но полученные травмы были несовместимы с жизнью.

Вскоре меня вызвал министр здравоохранения *Б. П. Петровский* и сказал: «Мы вам признательны за то, что медицина в этом полете была на высоте, и это единственная служба, к которой нет никаких замечаний. Однако на вас поступили жалобы. Руководители клиник, откуда для вас были командированы специалисты, жалуются и просят вернуть специалистов назад. Мы решили поступить следующим образом: выделить вам деньги для создания собственной реанимационной службы. Как вы думаете, сколько вам необходимо средств?» Отвечаю: «Тысяч сто, но только фондом заработной платы». Министр отвечает: «Ну, сто, наверное, будет многовато. Давайте сделаем так: девяносто тысяч будет как раз». Отвечаю: «Я вам признателен, но попрошу учесть, чтобы деньги по пути в наш институт и без моего разрешения никуда не ушли». Министр отвечает: «Да, с вами не соскучишься».

Через некоторое время меня вызвал директор: «Иван Павлович, мне нужны две штатные единицы, не могли бы вы мне их временно выделить?» Отвечаю: «Олег Георгиевич, вы что, смеетесь? Вы же директор института и можете делать, что хотите!» Отвечает: «Да нет, тут в приказе написано, что если кто без вашего ведома возьмет деньги, то вы опять напишете на меня жалобу. Не бойтесь, я потом вам эти две ставки отдам». И действительно, свое слово он сдержал, деньги были мне возвращены. А реанимационная служба до сих пор исполняет свои обязанности в космической медицине.

В результате выполненных комплексных исследовательских и научных работ была создана оздоровительная система космонавтов, которая не только исключала возможность возникновения в полете различных заболеваний, но и, что не менее важно, научилась их предупреждать.

Оздоровительная система основывалась на том, что все заболевания зависят от характера питания, водообеспечения организма, двигательной активности, направленности сознания при необходимости на использование собственных резервов

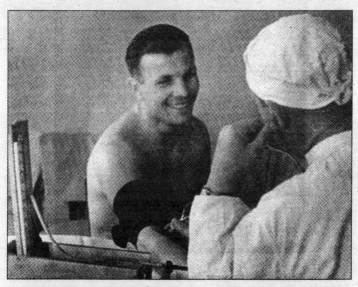

Первый в мире космонавт Юрий Алексеевич Гагарин на медицинском осмотре

организма и их поддержания, которые в 80 раз сильнее любых повреждающих факторов. Остается только поддерживать себя в определенном тонусе, соблюдать все законы Природы, в соответствии с которыми функционируют все системы организма. Вот так непросто шла моя работа даже в самой престижной и прогрессивной отрасли страны — космонавтике.

Иван Павлович в наши дни с журналом, где помещена фотография первых космонавтов с их автографами и благодарностью для своего доктора

По прошествии 50 лет космической пилотируемой эры можно сказать, что созданная нами система оправдала себя: не было ни одного «прокола», связанного с состоянием здоровья космонавтов. Отлично работает система, в ней все удобно, надежно, элементарно, и, что сегодня очень важно, она может быть использована в любых условиях и даже неспециалистами.

После окончания моей работы в космонавтике я попытался внедрить в общую систему нашего здравоохранения то, что создавалось высокими профессионалами практически всех направлений нашей медицины для Космоса и что по сей день там прекрасно применяется. И действительно, после проведения всех испытаний было получено разрешение Минздрава СССР на применение этих разработок в повседневной медицинской практике. Но в это время распался СССР, и для Минздрава РФ результаты, полученные в учреждениях Советского Союза, были недействительны, все советское оказалось под подозрением.

К тому времени я уже вышел на пенсию, и на повторные испытания у меня не было ни сил, ни финансовых средств, а помогать мне никто не хотел. Более того, встревожились производители лекарств и даже минеральных удобрений и гербицидов — ведь мои изобретения, мои методы оздоравливают без лекарств не только людей, но и животных, растения, восстанавливают землю, искалеченную химикатами.

Вот такой пример. Мы живем в электромагнитном поле, включающем различные виды энергии. Вместе с тем, фотосинтез, без которого не могут существовать любые живые существа, в своей основе имеет ультрафиолетовые лучи определенного спектра действия. Этот спектр на Земле возникает при восходе и заходе солнца, но, к сожалению, человек из-за многих причин изолировал себя от этого спектра действия, живя в искусственно созданной среде: обувь, одежда, жилище и т. д.

В результате длительного исследования физиками Украины был определен спектр ультрафиолетового излучения, названый витоцидным, который лежит в основе любых энергетических процессов, протекающих в организме. Дальнейшая реализация этой системы осуществлялась несколькими институтами Киргизской и Украинской академий наук. Был создан ряд приборов для использования: в медицине «Гелиос-1», в ветеринарии «Гелиос-2». Это квантовая медицина, предложенная в определенном спектре ультрафиолета, она не является средством от какого-либо конкретного заболевания, а, восстанавливая энергопотенциал клеток, нормализуя все ферментные, гормональные, иммунные системы и кислотно-щелочной баланс, позволяет организму в последующем самому устранить различные проблемы со здоровьем.

В сельскохозяйственной практике использование ультрафиолета — облучение воды, растений в определенный период вегетации — позволяет получить урожай в 1,5 раза больше, причем практически без использования минеральных удобрений, при облучении виноградников, плодовых растений уничтожаются все вредители. Облучение земли с различными остатками растений и ее перепахивание позволяет в течение 1—2 лет полностью избавиться от сорняков, и земля становится экологически чистой. Агрономам известно, что в кислой среде, чему способствует использование минеральных удобрений, гербицидов, почва закисляется и урожай практически сводится к минимуму.

Для реализации установок ультрафиолетового облучения в растениеводстве, животноводстве был подключен Российский научно-исследовательский институт электрификации сельского хозяйства, возглавляемый академиком *Дмитрием Семеновичем Стребковым*. Оказалось, что внедрение такой экологически чистой системы, оздоравливающей воду, почву, растения, животных и людей, требует пересмотра всех государственных систем, в том числе межгосударственных связей, отвечающих за нашу жизнь.

В стране для начала осуществления этого проекта не нашлось 10 млн рублей (об этом писала газета «Московский комсомолец» от 25 октября 2013 г.). Ультрафиолетовое облучение раскисляет почву, ощелачивая ее, дает очень высокие урожаи экологически чистых продуктов. В результате клинических испытаний прибор «Гелиос-1» был разрешен к использованию в медицинской практике. Экспериментальные образцы «Гелиос-1» в медицинских центрах используются как индивидуальная собственность.

Но не пропадать же моим разработкам! И мною был создан оздоровительный Центр, в котором за 3 недели, без лекарств и механических очищений, выводились из внутренней среды организма все шлаки. И отступала даже гипертония — та самая, с которой не могут справиться даже кардиологи. Со временем были созданы еще несколько центров, в них применяется разработанная для космонавтов система оздоровления, и весьма успешно.

Надежность предлагаемой оздоровительной системы была опробована на тысячах пациентов как в амбулаторных, так и в стационарных условиях, а полученные результаты свидетельствовали, что, независимо от характера заболеваний, ремиссия (выздоровление), в немалой степени зависящая от самого больного, доходила до 80%, чего не может добиться официальная медицина, которой к тому же здоровый человек и не нужен.

Кроме прочего, меня всегда интересовал вопрос работы человека как электрической системы, соединенной плюсом (голова) со Вселенной и минусом (копчик) с Землей. Мне также выпало счастье, что Высший Космический Разум (ВКР) познакомил меня с генералом *Евгением Игнатьевичем Ливенцовым* — единственным человеком на Земле, принимавшим непосредственно от ВКР информацию о Вселенной.

С *Е. И. Ливенцовым* я работал несколько лет (о чем я писал в своих книгах, а подробнее см. книгу «Вселенная. Земля. Человек»). Расскажу об одном очень показательном случае. В 2002 году мы с *Е. И. Ливенцовым* приняли информацию о том, что нашему президенту *В. В. Путину* угрожает опасность, и были указаны дата, время и место. Эта информация была передана соответствующей службе, которая эти данные не подтвердила. Но прошло некоторое время, и в одной московской газете появилось сообщение о том, что было предотвращено покушение на *В. В. Путина*, о чем написано о книге «Вселенная. Земля. Человек». Поэтому я часто пишу об отношениях человека с Космосом, и в настоящей книге в разделе «Наша планета и ваша родословная» я попытался представить вам свое видение создания Высшим Космическим Разумом (Богом) живой планеты Земля, в том числе и человека. С этого и начнем...

ВАША РОДОСЛОВНАЯ
И НАША ПЛАНЕТА

В настоящее время ни у кого не вызывает сомнения, что вся Вселенная построена разумно, в ней все взаимосвязано и взаимозависимо. Ряд ученых уже доказал, что это мог сделать только Творец. Можно представить, что это мог сделать изобретательный человек, выполнивший масштабные работы. У меня тоже много авторских изобретений для различных сфер деятельности, поэтому я взял на себя смелость представить, как я бы создавал условия жизни на Земле. *Наджиб Валитов*, ученый из Уфы, утверждает, что, независимо от того, как Творца называют люди, он един. Это же доказывает один из сподвижников *С. П. Королева*, известный всему миру ученый-физик *Борис Викторович Раушенбах*. Он математически доказал, что все, что находится во Вселенной, в том числе планета Земля, управляется одним лицом.

По замыслу Творца Земля должна была отличаться от всех планет. Она должна была быть красивой, яркой. Много миллионов лет Творец потратил на создание условий для жизни живых существ. В результате появились атмосфера, водная среда, как соленая (моря, океаны), так и пресная (реки, озера), озоновый слой, защищающий атмосферу Земли от жесткого космического излучения, и спутник

Земли — Луна, служащий своеобразным гравитационным канатом. Сочетание всего перечисленного способствует дыханию Земли как живого организма: приливы, отливы. Без всего этого создать жизнь, подобную земной, невозможно.

Создание живого мира на Земле происходило следующим образом. Высший Космический Разум (ВКР) изобрел код жизни, который включает в себя семя, цветок, плод, дерево. Этот код наиболее ярко проявляется на растительном мире в процессе смены времен года.

ВКР решил создать жизнь на Земле одновременно для растений и живых существ, как в воде, так и на суше. И чтобы в дальнейшем не произошло никакой путаницы между различными видами, ВКР для каждого типа решил сформировать свою генетическую структуру, что и разнообразит весь мир. Для этого была подготовлена специальная программа, отличающая один вид от другого. Так, для растительного мира была создана своя программа, для животного — своя, с элементами природного инстинкта. На человека ВКР потратил гораздо больше времени.

Как известно, жизнь зародилась в водной среде, поэтому все, что там плавает и существует, — это наши родственники, всех нас роднит водная соленая среда морей и океанов. Так как ВКР находится очень далеко от нас, то, чтобы процесс на Земле был управляем, Он для всех видов существ определил своего рода лидеров, обладающих большим творческим «разумом» по сравнению с их сородичами. Эти лидеры определяются по законам Природы. Они должны быть сильными, здоровыми и обладать склонностью к лидерству. Как вы знаете, никакое стадо (стая, косяк) не может жить без лидера.

При создании человека ВКР пришлось потрудиться изрядно. Он ввел понятие формирования души, ибо известно, что душа вечна, но для рожденного на Земле человека формируется не только новая душа, но и предопределение, то есть то, зачем эта душа приходит на Землю.

Для того чтобы человек был более разумен по отношению к животному миру, ВКР наделил его сознанием, которому свойственны как разрушение, так и созидание. И что будет превалировать в жизни, то и случится. Если говорить о человеческом лидере, то его разум должен быть соразмерен разуму среднестатистического человека. Этот лидер должен владеть проверенной на практике идеей, направленной на оздоровление Природы и человека. Однако ВКР не рассчитывал, что люди в большинстве своем станут эгоистичны и будут нарушать все законы, по которым должна жить земная цивилизация. При всем уважении к ВКР, мне представляется, что причиной тому стало предоставление человеку свободы выбора. Свобода выбора — это осознанная необходимость, без чего развитие общества дальше невозможно.

Не менее важно, что ВКР поставил человека вертикально, в отличие от других живых существ. Для этого Ему пришлось изрядно потрудиться: ни одно живое существо на двух ногах не стояло, ласты не годились для ходьбы. Вначале ВКР сформировал стопу, но человек все еще не мог стоять и нормально ходить из-за, как утверждает медицина, продольного и вертикального плоскостопия. Тогда ВКР придумал изящное решение: за счет сокращения сухожилий Он приподнял внутреннюю часть стопы, благодаря чему человек смог нормально ходить и прыгать.

Над головой ВКР также трудился долго. Он придал ей форму шара. Волосы Он оставил на голове, а у мужчин — и на нижней части лица, а лоб — освободил от волос, чтобы было видно, насколько разумен человек.

Так как человек представляет энергосистему, включенную в энергосистему Вселенной (плюс в области головы, минус — в области копчика), то в голове ВКР разместил два полушария: минус и плюс. Волосы служат своего рода антеннами, получающими информацию из Единого энергоинформационного поля. Мозг на самом деле занимается только передачей энергии из Космоса.

Несмотря на то что ученые много лет искали, где у человека находится ум, его так и не нашли, а главный нейрофизиолог страны, академик Наталья Бехтерева, признала: все дело в Творце, только Ему известна информация о прошлом, настоящем и будущем.

Чтобы фигура человека была устойчивой, ВКР придумал к задней части тела присоединить два полушария, своего рода противовеса для устойчивости системы. Но фигура заваливалась назад. Тогда ВКР обратил внимание на то, что у на голове есть антенны, а в области минуса антенн нет. Тогда Он увеличил кости таза, благодаря чему образовался бугорок — лобок. Шутливые ученые назвали его «бугорок Венеры».

Полюбовавшись красивой, гармоничной фигурой, ВКР ввел эту конструкцию в программу любого человека и наделил его Святым Духом. Так был создан человек — Адам.

Гуляя по райскому саду, Адам обратил внимание на то, что у всех живых существ есть пары. Он пришел к Богу и сказал:

— Отче, извини, что отрываю тебя от отдыха, зная, что ты шесть дней трудился, а седьмой отдыхаешь. Но я обратил внимание, что я один и мне нужна пара.

Бог ответил:

— Извини меня, сейчас что-нибудь придумаю. Видишь ли, я израсходовал весь материал и у меня ничего нет. Я возьму часть твоего тела, седьмое ребро слева от сердца, и сделаю из него фигуру.

Новая фигура оказалась неустойчивой. Тогда ВКР вспомнил, что у некоторых животных репродуктивные органы находятся в области промежности, а у свиней — на животе, как пуговицы на пиджаке. В результате основную часть репродуктивной системы ВКР оставил в промежности, а систему кормления в виде двух округлых возвышенностей разместил на груди. Получилось красиво и изящно.

ВКР был очень доволен, наблюдая за тем, как вздымается и опускается грудь женщины и как мужчина приходит в восторг. Потом Он добавил в свое творение яркий блеск солнца, бледное мерцание луны, хитрость лисицы, игривость огня, хрупкость льда, проказы черта, выносливость верблюда, рык льва, яд змеи, ловкость обезьяны, ласку кошки, упрямство осла, непостоянство ветра, трепет лани, алчность акулы, долбление дятла. Посолил, поперчил, добавил немного сахара, подул и сказал Адаму:

— Бери, какая она есть, и не вздумай ее переделывать. Ее имя Ева.

Когда мужчина и женщина соединяются друг с другом (у женщин, как правило, плюс, а у мужчин, — минус), происходит замыкание в сети, и они превращаются в единое целое и с помощью антенного устройства на мгновение перемещаются на свою прародину.

Однажды, гуляя по райскому саду, Адам и Ева подошли к райскому дереву, усыпанному яблоками, на котором висела табличка: «Не рвать».

Ева сказала:

— Я хочу яблоко, сорви!

Адам ответил:

— Этого делать нельзя.

— А я хочу!

И Адам полез на дерево и сорвал яблоко.

За всем этим наблюдал Змей, который обо всем доложил Богу. Тот немедленно позвал к себе Адама и Еву и спросил.

— Вы читали объявление, что зеленый плод рвать нельзя?

— Да вот она захотела...

— При чем тут она! Надо свою голову иметь! За это я изгоняю вас из рая, но даю вам двух ангелов: справа ангела-хранителя и слева ангела-искусителя. С кем из них на Земле вы будете больше дружить, то и в жизни получите.

Запомните: чем меньше вы будете потакать женщине, которая по природе своей более эмоциональна, тем вы как мужчина большего достигнете в жизни, потому что у вас преобладает логическое мышление (вот почему среди руководителей мало женщин).

Удивительно, что такая жизнь, которая началась между мужчиной и женщиной в раю, продолжилась и на Земле.

Многие упрекают мужчин, что они все время ищут женщин послаще. Эти мужчины ошибаются. Каждая женщина сладка по-своему, и у нее есть ключик, которым она должна умело управлять мужчиной.

Мужчине и женщине от природы дана различная степень потенциальных возможностей: от очень слабых, слабых, умеренных до средних, больших и очень больших. Если каждую из этих возможностей мужчин и женщин линиями соединить, то получатся сотни вариантов, о которых мы даже не догадываемся, когда соединяем жизни друг с другом.

Представьте себе, что женщине достаточно быть с мужчиной изредка, а мужчине — наоборот. Я не буду касаться огромного пласта знаний, связанных с гармонией сексуальных взаимоотношений как аспектом здоровья (см. книгу «Эндоэкология»). Женщина со своими проблемами может как-то еще справиться с менструацией. Но мало кто знает, что сперматозоид у мужчины живет также 28 дней, и за это время он должен расходоваться. Это может случиться или с помощью поллюции, когда женщины нет рядом, или во время ночных сновидений.

Существует такое выражение: «Функция рождает орган». То есть если функцию не использовать по закону природы, то организм принимает решение сворачивать эту работу и, естественно, это влияет на орган.

Если устранить вредные факторы, такие как употребление спиртных напитков, курение, то основой возникновения мужских заболевания являются взаимоотношения с женщиной. Мужчина становится апатичен, теряет интерес к реализации своих возможностей и т. п.

Если жена не берет на себя роль лидера, а постоянно упрекает мужа в апатии, в нерешительности, то в том, что происходит в этой семье, виновата она. Мой многолетний врачебный опыт подтверждает, что многие заболевания возникают именно в семьях, где отсутствует эмоциональная психологическая направленность на успех.

Рассматривая семью в обобщенном виде, я с уверенностью могу сказать, что она складывается следующим образом: первое — гармония сексуальных взаимоотношений; второе — здоровье; третье — счастье. Именно такая последовательность гарантирует успех.

К сожалению, всему этому никто не учит, поэтому неудивительно, что число разводов в России больше, чем число бракосочетаний. А ведь семья — опора здорового и крепкого государства.

Дорога в ад вымощена злостью, завистью, ревностью, хитростью, обидой. А вокруг человека накапливаются отрицательные, тяжелые энергоинформационные сгустки, от которых всем плохо.

Главное, что должен знать человек, — это то, что физическое тело дано нам во временное пользование на планете Земля, а душа, вселившаяся в него в день рождения, не умирает, а возвращается во Вселенную. Вот почему с энергоинформационной точки зрения смерти нет, а душа бессмертна.

ПРЕЕМСТВЕННОСТЬ ПОКОЛЕНИЙ

В возникновении любой формы жизни осново-полагающую роль играет сохранение и перенос информации из поколения в поколение. Как известно, у человека это осуществляется с помощью генного аппарата и, вероятно, внутритканевой воды. Сам же генный аппарат возник в результате уплотнения наиболее информационно емких частей Духа, когда его энергетические поля смогли выстроить атомы в молекулы ДНК, способные сохранять и переносить информацию о строении человеческого тела из поколения в поколение.

Можно себе представить невероятную плотность Духа, который, являясь прародителем физического тела, смог в процессе уплотнения создать такой генный аппарат, когда в одной-единственной яйцеклетке и в одном-единственном сперматозоиде находится информация о строении всего человеческого организма, включая каждую его молекулу и клеточку. Можно себе представить, насколько она эволюционно более древняя, что с помощью энергии был создан генный аппарат и все человеческое тело. Не зря древние говорят, что человек — это микрокосм в макрокосме.

Появление человека на планете Земля, как утверждают исследователи, с которыми мне довелось работать *(А. Петров, Е. Ливенцов, Н. Левашов* и др.), предваряется тем, что духовная сущность будущего человека формируется задолго до его прихода на Землю и вхождения в его физическое тело (плод) во время беременности матери. Все это передается во вновь рожденное физическое тело на Земле, по взглядам *Левашова* — во время слияния мужской и женской половой клеток, Петрова — на 2—3-й месяц

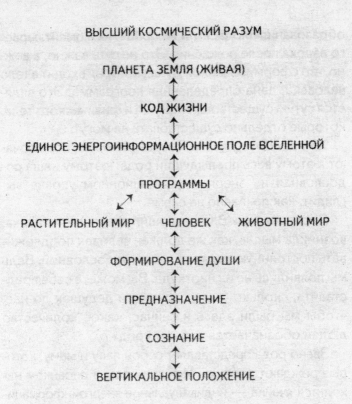

ВЫСШИЙ КОСМИЧЕСКИЙ РАЗУМ

↕

ПЛАНЕТА ЗЕМЛЯ (ЖИВАЯ)

↕

КОД ЖИЗНИ

↕

ЕДИНОЕ ЭНЕРГОИНФОРМАЦИОННОЕ ПОЛЕ ВСЕЛЕННОЙ

↕

ПРОГРАММЫ

РАСТИТЕЛЬНЫЙ МИР   ЧЕЛОВЕК   ЖИВОТНЫЙ МИР

↕

ФОРМИРОВАНИЕ ДУШИ

↕

ПРЕДНАЗНАЧЕНИЕ

↕

СОЗНАНИЕ

↕

ВЕРТИКАЛЬНОЕ ПОЛОЖЕНИЕ

РОД

ИНДИВИДУАЛЬНАЯ ИНФОРМАЦИОННАЯ ЯЧЕЙКА   ИНДИВИДУАЛЬНАЯ ИНФОРМАЦИОННАЯ ЯЧЕЙКА

ПЕРЕПРОГРАММИРОВАНИЕ

ЖЕНЩИНА ⟷ МУЖЧИНА

ИНДИВИДУАЛЬНАЯ ИНФОРМАЦИОННАЯ ЯЧЕЙКА

ТРАНСФЕР-ФАКТОР

РЕБЕНОК

Духовная связь человека со Вселенной

образования плода, а *Ливенцова* — в момент первого вздоха после рождения. Это не суть важно, а важно, что сформированной Душе, которая входит в тело человека, дана определенная программа. Это является сутью существования Души и физического тела, которые отдельно существовать не могут.

Женщина и мужчина, создавая семью, подключают к этому весь предыдущий род. Поэтому наша родословная на энергоинформационном уровне выглядит, как показано на схеме.

После того как ВКР завершил создание человека, возникла мысль, как же должен человек поддерживать постоянную связь со своей родословной. Ведь мы появились не из ниоткуда. Вы можете себе представить, сколько было бабушек и дедушек до нас, чтобы мы были здесь и сейчас, какое количество людей обозначается словом «род»?

Звено рода представляет собой папу и маму, которые рождают ребенка. Между родом и ребенком находится ячейка — индивидуальное энергоинформационное поле. Вновь нарождающаяся жизнь ребенка через молоко матери информационно связывается с ВКР.

С первой минуты жизни после рождения из молочных желез матери (так же, как у самок млекопитающих) выделяется особый секрет — молозиво. На это отводится всего 30 минут. Важно, чтобы ребенок успел поесть молозива.

В составе молозива в большом количестве присутствуют каротиноиды, которые и обуславливают желтый цвет этого секрета. Молозиво при беременности по сравнению с молоком, которое выделяется в последующем, после родов, имеет большую плотность. Кроме каротиноидов, молозиво содержит молозивные тельца (это большие клетки, в цитоплазме которых имеются жировые включения), лейкоциты (из лейкоцитов в молозиве присутствуют сегментоядерные нейтрофилы и лимфоциты; первые обуславливают антибактериальный иммунитет, а вторые — противовирусный) и молочные шарики.

Если сравнивать молозиво со зрелым или переходным грудным молоком, то оно намного больше содержит белков и жиров, минеральных веществ. Однако по содержанию углеводов оно уступает молоку. Молозиво имеет большую энергетическую ценность, которая уменьшается с каждым днем лактации. Так, в первые сутки она составляет 150 ккал на 100 мл, а в третьи — уже 80 ккал на 100 мл.

Молозиво — это важный фактор иммунной защиты младенца, так как в нем имеются все классы антител, кроме иммуноглобулинов Е-класса (они являются факторами, определяющими развитие аллергических реакций). Эти антитела передаются от материнского организма новорожденному при кормлении и защищают от тех инфекций, которыми переболела мама. Очень важным фактом является содержание в молозиве полиненасыщенных жирных кислот, фосфолипидов и холестерина, которые входят в состав мембран клеток, а также участвуют в формировании нервной ткани.

Как доказали ученые США, при кормлении ребенка молозивом у него сохраняется на энергоинформационном уровне предыдущая родословная (чем отличается весь животный мир). Если этого не происходит, то эта связь прерывается и ребенок начинает свою жизнь с чистого листа. Он может быть умным, успешным, но у него нет взаимосвязи с единым, то есть на энергоинформационном уровне он болен. Перенос информации о родословной осуществляется с помощью трансфер-фактора. Как выяснили ученые, все необходимые младенцу сведения об окружающем мире, о его опасностях — вирусах, бактериях, нарушениях экологии — передавались на молекулярном уровне вместе с материнским молозивом.

Трансфер-фактор был открыт в 1949 году в США доктором *Лоуренсом*, главным иммунологом Нью-Йоркского университета. В ходе исследований *Лоуренс* доказал, что существуют маленькие сигнальные молекулы, способные передавать информацию иммунной системе, настраивать ее на правильную работу. Как выяснилось, эта цепочка передачи иммунной информации от матери к ребенку существовала миллионы лет. У млекопитающих информация передавалась через первичное молозиво, у яйцекладущих — через желток яйца.

Основная информация в виде трансфер-факторов содержится у женщины в первых 5 мл молозива, сразу после рождения ребенка. Поэтому наши предки на протяжении веков сразу после рождения прикладывали ребенка к материнской груди. Иммунная система младенца запускалась при попадании на пейеровы бляшки кишечника первых капель молозива. Кроме того, трасфер-факторы усиливают функциональную активность клеток-киллеров, которые будут бороться с «врагами», попадающими в организм человека.

Все живое на Земле — животные, рыбы, растения, микроорганизмы — передает своему потомству генный код своего вида на уровне инстинкта. И только человек умудрился нарушить этот закон

Природы почти на целый век. Ребенок, который не получил материнского молозива в первые 30, максимум 60 минут, как уже говорилось, начинает свою жизнь с чистого листа, то есть он ущербен на энерго-информационном уровне. За счет чего у человека снижается иммунитет, и он больше подвергается атаке всевозможных, в том числе страшных болезней.

Кроме того, если ребенок не получает молозива матери в первые минуты своей жизни, значит, не запускается не только работа иммунной системы, но и процесс лактации, не запускается своеобразная вакцинация у новорожденного ребенка. Он лишается биополевой структуры, связывающей его с матерью, все остальное для него чужое, враждебное. Некоторые факторы, выполняющие защитную роль в организме, вырабатываются еще внутриутробно. Часть иммунных веществ ребенок получает от матери с молозивом, в котором их концентрация очень высока, и с грудным молоком, где их содержание намного ниже, но в достаточном количестве. Но в целом иммунная система несовершенна, ребенок раним в плане инфекции.

Ученые, изучающие животный мир, заметили, что если детеныш (слоненок, жирафик, зебренок и т. п.) не начинает сразу после рождения есть, то он слабеет и через 1—2 дня может погибнуть. Поэтому мать инстинктивно пытается его накормить. А «цивилизованное» человечество целые 100 лет придерживалось варварской системы: сразу после рождения отлучало новорожденного от матери, и только через сутки его приносили на кормление матери. В результате этой системы человечество лишило себя иммунитета, что привело к развитию многих болезней. Сейчас наконец-то это поняли и стали прикладывать ребенка к груди матери через несколько минут после рождения.

Еще важно вот что. Родившийся ребенок — это биополевая энергоструктура, которая знает только биополе матери, а все остальное для него чужое. Именно эти 30 минут на всю жизнь определяют его здоровье и долголетие. Обязательно в первые 2 дня жизни ребенок должен находиться с мамой: таким образом он будет соприкасаться с ее биополем и с микробами, которые соответствуют ее иммунитету, который ребенок наследует благодаря проникновению через плаценту материнских антител (они проникают через плаценту преимущественно в последние 3 месяца беременности и составляют основу иммунитета ребенка при рождении).

В дальнейшем, если ребенок находится на грудном вскармливании, с материнским молоком он постоянно получает дополнительную защиту от инфекционных заболеваний — антитела и др. факторы. Вот почему народные методы лечения новорожденных часто рекомендуют закапывания материнского молока в нос и т. п.

К 6 месяцам ребенок должен начать создавать свой собственный иммунитет, в этом возрасте иммунитет у ребенка несколько снижается. И существенно улучшится он только к 3 годам. Будет логично посоветовать маме кормить малыша грудью или, по крайней мере, грудным молоком, пока у нее есть такая возможность. Также совершенно ясно, что с целью недопущения нарушений функций пищеварения и изменения состава микрофлоры кишечника прикорм и все дополнительные продукты в рацион ребенка надо вводить только тогда, когда его пищеварительная система будет готова их усваивать, то есть через 4—5 месяцев. И дальнейшее питание ребенка, уже на годы взросления, должно быть правильным, чтобы вырос здоровый человек, который в дальнейшем уже сам будет отвечать за свое здоровье и поддерживать его.

Итак, прием ребенком молозива от матери в первые 30 минут жизни сохраняет энергоинформационную связь с предыдущими воплощениями, запускает работу иммунной системы, лактацию, осуществляет своего рода вакцинацию. Способствует развитию духовного и физического состояния. Лишая ребенка молозива матери, его лишают энергоинформационной связи со своими предками.

Кстати, сейчас разработаны иммуннокорригирующие препараты серии «Трансфер-фактор», представляющие собой концентрированный экстракт коровьего молозива в сочетании с другими натуральными компонентами. Их отличает модулирующее воздействие на иммунную систему пациента, отсутствие нежелательных побочных явлений, препараты эффективны в разные стадии активности иммунопатологического процесса. В зависимости от вида нарушений они стимулируют сниженный иммунитет или же подавляют чрезмерно затянувшиеся иммунные реакции, предотвращая повреждения организма.

Теперь вот какой важный вопрос — *суррогатное материнство*, которое сейчас становится очень популярным. С одной стороны, это дает возможность бездетным иметь ребенка, но вот какая штука... Если суррогатная мама родила и не покормила своим молозивом ребенка, он изначально будет нездоров, о чем я только что говорил. А если покормит — то ребенок получит информацию, связанную с родом суррогатной мамочки. Так что связи с поколениями своих биологических родителей такие дети фактически лишаются и с энергоинформационной точки зрения являются на духовном и нравственном уровне больными.

И вот еще что надо знать родителям, прибегающим к услугам суррогатной матери. Все органы плода начинают функционировать и развиваться с момента их образования. Их развитие полностью зависит от образа жизни и питания матери. Плод через свои органы чувств и анализаторы воспринимает, переживает, запоминает эмоциональную, двигательную, интеллектуальную, сенсорную и другую информацию, связанную с жизнью матери, которую она получает через свои органы чувств и анализаторы в период беременности. Идет приспособление плода к самостоятельной жизни через мироощущение матери. Содержание и образ жизни матери формируют начала базы интеллекта и самого интеллекта будущего ребенка.

Об этом никто не задумывается. А об этом надо говорить, кричать, так как это один из способов вырождения человека как составной части Вселенной. А то, что нас с момента рождения связывает незримая нить с Единым информационным полем Вселенной, доказывают, например, исследования русского психолога *Марка Комиссарова*, который в 1988 году в США разработал способ, помогающий ребенку сохранить связь со Вселенной, которая имеется у каждого ребенка, но осуществляется только до 12 лет через родничок на макушке, где к 12 годам хрящ заменяется косточкой. Кстати, у ясновидящей Ванги он так и оставался родничком. Это о чем-нибудь говорит?!

Так вот, *Марк Комиссаров* любого ребенка в возрасте до 12 лет (чем моложе, тем лучше) может сделать вундеркиндом. После 12 лет этот канал закрывается, и вот поэтому мы и остаемся «иванами, не помнящими родства», в отличие от всего живого мира, где эта связь на природном уровне не прерывается.

Не менее опасным является и *перепрограммирование ребенка как биоэнергетической сущности*, когда, не считаясь со склонностью ребенка, родители начинают ему прививать собственные взгляды на жизнь, профессию, тем самым лишая возможности реализовать его скрытые возможности. Как показывает практика, независимо от того, что частота человека ограничена, каждый человек индивидуален. И при рождении человека в Едином информационном поле открывается его собственная ячейка, которую я назвал Индивидуальная информационная ячейка, где закладывается информация о всем предыдущем роде и наработанная в течение жизни. Ребенок же, который не вкусил молозива, теряет родственные связи, и хотя он является ребенком Вселенной, он многое теряет на энергоинформационном уровне.

Подробнее эта информация изложена в моих книгах «Вселенная. Земля. Человек», «Человек. Основные законы его жизни», «Энергоинформационная сущность человека», «Долголетие».

ДУША ЧЕЛОВЕКА

Еще надо отметить вот какой фактор в создании человека: создание более простых форм животного и растительного мира шло тем же путем, что и человека — путем уплотнения более простых форм жизни. Человек отличается от животных тем, что его мыслительный аппарат призван совершенствовать Дух, вкладывая в него больше созидательной информации, тем самым совершенствуя форму жизни в тонком мире. Но Дух может не только совершенствоваться (добрые мысли, научные достижения, изобретения и т. п.), но и деградировать (злые мысли, тщеславие, праздность, зависть и т. п.). Если верить ВКР, то человек был создан как физическое дитя жизни в тонком мире и призван через физический мир способствовать прогрессу, чего, к сожалению, не произошло на Земле.

Считается, что наш мозг, сознание в течение жизни использует только 10% своих возможностей, а где же остальные 90%? Русские мыслители XIX — начала XX веков *Н. Федоров, К. Циолковский, В. Войно-Ясенецкий* и др. доказывали, что помимо сознания у человека есть душа, сверхчувственное сознание, находящееся в подкорковых образованиях, которое материалистами всегда рассматривалось как какой-то придаток, не принимающий никакого участия в разумной деятельности человека, а только регулирующий вегетосоматические функции.

Оказывается, наше подсознание играет не меньшую, если не большую роль в жизнедеятельности человека, ибо как раз здесь-то и находятся эти 90% не используемых нами возможностей. Только для достижения успеха надо скоординировать сознание с подкорковыми образованиями, которые, связывая нас с Природой, выводят на новый уровень сверхсознания.

Душой ВКР наделил только человека. Душа человека бессмертна. Человеческие души, уходя на 9-е сутки из тела человека, 31 день формируются в атмосфере Земли, уменьшаясь в объеме в сотни раз, и в виде энергетического сгустка, с полученной во время жизни информацией, попадают на орбиту человеческих душ (через трубу диаметром Луны), которая перемещается вместе с вращением вокруг Земли и находится на расстоянии 2/3 до Луны и диаметр которой до 200 тысяч км.

В течение всего времени беременности в организме матери происходит подготовка телесной оболочки для Души, которая входит, как в свою квартиру, в момент отделения его от матери, как энергетический импульс сознания воплощается в клетки мозга. Вот почему надо знать, что прожитая жизнь каждого из нас — это возможное начало новой, и поэтому не все равно, как мы пройдем жизненный путь (это называется законом реинкарнации).

Как я уже говорил, мне выпало счастье работать с *Е. И. Ливенцовым* по приему различной информации, в том числе о формировании Души. Текст был принят 15.04.98 г. в 15.50—16.45:

«Ты сейчас будешь продолжать писать тот текст, который закончил вчера. Ты написал о том, что женщина может быть виновницей того, что у нее рождается недоразвитый ребенок. Но не надо путать это явление с рождением ребенка, которому не была Богом над Землей дана человеческая Душа.

Этот процесс вовлечения в тело ребенка Души человека происходит в момент рождения ребенка, отделения его от матери, когда он становится отдельным организмом. Вот в этот момент и вселяется Душа человека в тело ребенка, что приводит этот телесный организм в жизненное состояние человеческого организма. Мозг становится в режим пробуждающих клеток мышления, и возникают мыслящие объемы мозга, каждый из которых начинает устанавливать информационный контакт со всеми органами ребенка с его двигательным аппаратом. Но сознание его Души просыпается не сразу, оно медленно воплощается в клетки мозга.

Весь этот процесс длителен по времени, и в это время важно, чтобы аура этого ребенка не была сформирована не отцом, потому что присутствие энергетического объема вокруг ребенка, ему чужеродного, приводит к тому, что мозг ребенка не раскрывается полностью и все органы ребенка, создающие составляющие для ауры посылки энергии, вместо нормального общения с полем или сферы ауры начинают ее отталкивать, освобождая в сфере, вокруг тела ребенка, им принадлежащие места.

Ребенок все время кричит по неизвестным причинам, и, вместо нормального поступательного развития, он в течение одного года проводит почти в постоянном крике, пока его энергетика не оттолкнет сумбурно сформированную ауру, что реально приводит к тому, что ребенок начинает отставать в развитии, а иногда обретает уровень недоразвитости мышления.

В этом случае виновата только мать, потому что это она допускала в период протекания беременности мужчин, не имеющих отношения к зачатому плоду в ее утробе. Так получаются недоразвитые дети. Но эти дети могут при рождении и не получить вообще Душу человека, потому что распутная жизнь матери может внести такие изменения в физическое развитие плода, что Бог над Землей и Космический Разум примут решение не вселять душу в тело ребенка.

Вот тогда и возникают дети, лишенные разума и продолжающие жизнь в телесном обличии человека, но живущие по данным им Природой инстинктам. Развитие таких детей во взрослого человека с его возможностями мыслить не представляется возможным.

Но причинами рождения таких детей могут быть не только родители, которые в силу своих устоявшихся физических недостатков не могут воспроизвести на свет нормально развитое потомство, но и в том случае, когда в момент рождения ребенка не оказалось в Духовном Мире Души человеческой, в силу того, что все возможности снятия Душ с Орбиты человеческих Душ оказались исчерпаны, так как люди Земли должны знать, что их численность на Планете Земля не должна превышать 5 млрд человек. Таковы возможности Духовного Мира и Орбиты человеческих Душ над Землей.

Нельзя допускать того, что человечество Земли будет плодиться безоглядно. Надо думать не только о том, что возможности размножаться у людей Земли не ограничены и что Земля способна прокормить и 10 млрд человек. Надо помнить и о том, что возможности Духовного Мира ограничены.

Но это не значит, что сейчас надо сокращать народонаселение Земли. Нет. Мы делаем тоже все, чтобы уменьшить рождаемость, но и люди должны понять, что проводить в жизнь ничем не ограниченное увеличение деторождаемости, а с этим и увеличение численности населения, недопустимо для Цивилизации Планеты Земля.

Из всех существующих в настоящее время цивилизаций на Планетах Обитания самой многочисленной и самой неорганизованной в масштабе всех Планет является Планета Земля. Это касается не только численности, но это во многом касается и взаимоотношений между людьми, и той враждебности между расами людей, существующей только на Земле, и той враждебности между государствами, что тоже существует только на Земле, и того количества убитых, искалеченных и уничтоженных людей, которое было на Земле.

Ничего подобного нет ни на одной Планете Обитания, это и стало волновать Высший Космический Разум, так же как и то, что в этой моральной обстановке люди разных государств владеют оружием, способным разрушить и уничтожить Цивилизацию Земли, и не только Земли». (*Тетрадь № 21, листы 66—71*).

Действительно, в жизни проходит все циклично — рождение, расцвет, становление и увядание. Ученые говорят, что сейчас наша жизнь, так называемая цивилизация, проходит 9-й цикл, который равняется 6000 лет. Вы знаете, как раньше одна цивилизация погибла во время Всемирного потопа и спаслись только те, кто попал на ковчег Ноя, который причалил на горе Арарат.

В недалекое наше время происходило то же самое. На Севере был умеренный климат, и вдруг все погибло. На Севере было лето и жили мамонты — и сразу все замерзли. Мамонты погибли. Жизнь осталась только в районе экватора. По данным основоположника фрактальной физики, моего друга *Владимира Дмитриевича Шабетника*, сейчас происходит начало распада 9-й цивилизации. Северный полюс стал не над Россией, а над Канадой. Происходит интенсивное таяние льдов в Антарктиде, на юге, на севере, резко меняется климат, участились ураганы, наводнения, цунами. В Австралии кенгуру впервые узнали, что такое снег. К 2040—2050 годам исчезнет часть островов.

Проводимые Америкой испытания ядерного оружия в районе Тихого океана привели к тому, что земля там треснула на 630 мм, через трещины извергается лава, нагревающая воду на 60 °C, в результате чего гибнет вся живая среда. Образуется своеобразное болото.

По данным ВКР, из наиболее ярких цивилизаций, существовавших на нашей Земле, была 6-я цивилизация, связанная с внеземной цивилизацией. В результате жизни космопришельцев на нашей Земле были ими сотворены пирамиды и другие изваяния, не подвластные пониманию того, как это было сделано землянами. Убедившись, что здесь живут дикари, пришельцы улетели к себе во Вселенную, откуда и наблюдали за нами.

Кроме того, ВКР обратил внимание на то, что в отличие от других созданий (людей), живущих на других обитаемых планетах, люди Земли начинают активную реализацию заложенной в них программы только в 20—25 лет, так как Душа приходит вновь на Землю с нулевыми знаниями. И получается, что очень мало остается человеку времени, чуть больше одной трети, 25—30 лет, для активного образа жизни, а затем — процесс увядания (15—20 лет).

И потому было принято решение ВКР: после 2000 года будут приходить люди (Души), которые уже в малом возрасте будут владеть той информацией, которой в настоящее время человек владеет в 20—25 лет, это дети индиго. И сейчас мы все больше наблюдаем таких детей в нашем обществе. Это особо одаренные дети.

Однако если, например, в Китае, Японии на государственном уровне ведутся поиски таких детей, которые получают особое образование, так как они считаются гордостью нации, то в России до 2015 года из финансовых средств всего 2% выделяли для одаренных детей. Сейчас эти проценты убрали. Это не говоря о том, что сегодня образование в малообеспеченных районах является бесперспективным, происходит создание моногородов, увеличение населения, притом что дошкольное образование фактически ликвидировано. Если раньше дети в первый класс приходили подготовленными (20—25 человек), то теперь в классе более 25 человек и уровень образования падает.

И действительно, сейчас в результате разрушения законов Природы, изменения экологической среды, а также увеличения народонаселения на планете здоровых детей рождается все меньше. Вплоть до возникновения у них выраженных патологий, социально ущербных.

В православии существует день поминовения, когда все приходят на кладбище и вспоминают своих усопших близких.

Здесь возникает вопрос: как быть с нашей родословной? Достаточно сказать, что по линии матери и отца в трех предыдущих поколениях, по данным на 2000 год, было более 1000 родственников, и каждый вложил в нас частичку своей души.

В древние времена наши святые отцы говорили о родословной следующее: ваша родословная начинается со дня вашего рождения. С полуночи вы должны приготовить иконостас, например три изображения *Серафима Саровского*, тарелку, перевернутую вверх дном, и церковную восковую свечу.

После полуночи, а лучше в утренние часы, поставьте перед собой иконостас и отойдите на полметра. Зажгите свечу, поставьте ее на дно тарелки и сделайте три поклона так, как это делали старцы: тремя пальцами коснитесь левого плеча (разум), правого плеча (совесть), лба (вера). Совершите три поклона и скажите: «Аминь». Сядьте и посидите. Таким образом вы призываете весь ваш род на свой день рождения.

Поговорите, с кем вы не договорили на земле, поделитесь своими проблемами. Расскажите, в какой помощи вы нуждаетесь. Сделайте маленький перерыв на последние пять минут и обязательно молча посидите у свечи, пока она не погаснет. Заканчивается встреча с родственниками — тремя поколениями. Удивительно, но после этого вы будете на подсознательном уровне получать подсказки для дальнейших действий.

* * *

В заключение данного раздела хочу сказать вот что. Меня часто спрашивают о моем отношении к религии. Отношусь с большим уважением — я человек крещеный, у меня есть духовник — и научным интересом.

Известно, что наука для своих доказательств требует четкого воспроизведения того или иного материала. Но я давно уже стал сомневаться в том, что это единственный способ познания. Бывает, без всякого материала, долгих опытов внезапно приходит озарение, как бы ниоткуда, но все оказывается верным... Такие случаи заставляют меня сомневаться в силе моих научных знаний. Я написал об этом в своей книге «Биоэнергетическая сущность человека. Мифы и реальность».

Сегодня наука и религия приходят к общим выводам: что в мире все взаимосвязано; что существует Сила, которая управляет всем, в том числе людьми. Это Высшее начало лежит в основе Вселенной, всех происходящих в ней явлений. Оно является основным и в деятельности человека, во всяком случае, должно быть. Но мы сосредоточились на материальном и, забывая о духовном, извращаем высшие законы. А если нет Бога в Душе, то можно брать от жизни все, что только можно взять, ничего не отдавая взамен. Брать, хватать, присваивать —

эта вакханалия, которая стала сегодня преобладать в обществе, ведет только в пропасть.

А что надо делать, чтобы не было этой вакханалии? Ответ известен тысячи лет: не делай другому того, чего не хочешь, чтобы делали тебе. Знай — ты частица всего, что вокруг тебя. Одно от другого зависит: ты сделал зло ближнему — значит сделал плохо в первую очередь самому себе.

Уничтожая своими дурными мыслями и делами окружающих, ты разрушаешь себя, свою духовную и нравственную основу. А повреждение Души неизбежно ведет и к болезням тела, к преждевременной смерти. Избежать этого можно только одним способом — перестать вредить окружающим, начать творить добро, сделать главным в жизни духовное, а не материальное, то есть жить по Божьим Заповедям.

И когда в стране принимается какой-то закон, он должен в первую очередь предусматривать нравственную, моральную сторону. Все остальное вторично, все остальное потом. Боюсь, что в современной России это забывается.

Отдельно хочу обратиться к родителям, у которых один ребенок в семье. Ребенок, который ни в чем не нуждается, которому все преподносится фактически даром, от которого не требуется никакой отдачи, постепенно превращается в зло, порожденное самими же родителями, жизнь которых превращается в ад. Вот почему существует такая жизненная поговорка: «Не делай добра, не получишь и зла».

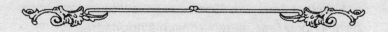

КАЖДЫЙ МОЖЕТ
И ДОЛЖЕН БЫТЬ ЗДОРОВ

Когда Высший Космический Разум, или Творец, или Бог, или Господь, создавал наш Мир, Он создал его совершенным, включая и человека, как говорят Священные Писания, по Своему подобию, то есть творцом, благородным, милосердным, справедливым и ЗДОРОВЫМ. А что человек? Нарушает направо и налево заветы Всевышнего и за это несет наказание... и прежде всего своим нездоровьем.

А дальше? Вы заболели и ищете причины ваших недугов не в себе, а сразу обращаетесь к врачам. Врачи — это люди благородной профессии, но они сами становятся заложниками всеобщего непонимания законов Природы и лечат вас, как их учили. Основной бедой медицины является переоценка собственных возможностей и недооценка защитных сил организма. Больного с помощью врача научили расслабляться, поэтому у него развивается направленность не на здоровье, а на болезнь. А ведь лекарствами можно регулировать только отдельные химические реакции, все остальное должен делать сам организм и сам человек. Химические препараты, подменяя защитные силы, выводят их из строя, что особенно страшно в детском возрасте.

Несмотря на огромные достижения в медицине, у нас нет науки о здоровом человеке, нет системного подхода к рассмотрению болезни как частного проявления общего заболевания организма. Принцип симптоматического лечения, возведенный в культ, как правило, безрезультатен.

Когда я начал заниматься состоянием здоровья наших космонавтов — до, во время и после полетов, — мне стало совершенно ясно, что больных-то у нас лечат, и неплохо, но вот здоровье неболеющего человека никого не интересует. В космонавты берут людей с отличным здоровьем. Но как его сберечь, не растратить, как определить, где грань между здоровьем и болезнью? Что грозит здоровому человеку, почему он начинает болеть? Это мне и надо было в первую очередь выяснить, чтобы не дать заболеть космонавтам — ни во время подготовки к полету, ни во время их пребывания в Космосе.

Как я уже рассказал, работая над этими задачами, я разработал оздоровительную систему, которую потом стал применять в своих оздоровительных центрах и приводить ее в своих книгах о здоровье.

Мои исследования и многолетний опыт оздоровления людей позволяют сказать, что я нашел основную причину болезней человека. Когда причина известна, ее можно устранить. Мы устраняем. Вот и все. Меня часто спрашивают: разве причина универсальна для всех болезней? Отвечаю: да.

Мой оздоровительный комплекс основан на том, что человек представляет собой совершенную, самодостаточную, саморегулирующуюся, энерго-информационную систему, в которой резервные возможности в 8—10 раз сильнее любого повреждающего фактора. Заболеваний как таковых нет, а есть состояния, устранив которые можно избавиться от имеющихся или предупредить возникновение возможных заболеваний.

Возникновение любых заболеваний — это нарушение работы пищеварительного тракта, нарушение кислотно-щелочного равновесия и водно-солевого баланса, на что официальная медицина не обращает особого внимания, несоблюдение человеком здорового образа жизни, вредные привычки, незнание физиологических, биохимических и энергетических процессов, происходящих в организме, неумеренное потребление, в 2—3 раза больше, смешанной пищи (белки с углеводами) за один раз, больше 600—700 мл — нормального объема желудка. В противном случае желудок растягивается, опускается вниз, смещая другие органы, мышечная стенка его утончается, нарушается процесс переработки пищи.

В организме существуют два показателя, которые не должны изменяться в течение всей жизни: *кислотно-щелочное равновесие в крови* (КЩР, обозначаемое как pH), которое должно находиться в пределах 7,4 плюс-минус 0,15; и *концентрация хлорида натрия в крови*, которая должна находиться в пределах 0,9%.

Главная причина болезней — это нарушение в организме кислотно-щелочного равновесия, когда происходит закисление нашей внутренней среды, в основном из-за неправильного питания. В Природе устроено так: 3/4 продуктов питания человека должны быть щелочными и 1/4 — кислыми. Без кислой среды нам жить невозможно, но если мы превысили норму, закислили свой организм, то просто необходимо восстанавливать кислотно-щелочное равновесие. В закисленной среде начинают активизироваться патогенные микробы, повреждаются и гибнут клетки наших органов, и человек заболевает.

Закисляется организм прежде всего от неправильного питания. К примеру, очень кислую среду создает мясо. Организм, затрачивая свои резервные возможности, через 3—5 часов эту кислотность нивелирует, делает среду нейтральной, но на это уходит много энергии. Сегодня уходит, завтра, а как ее восстановить, если «объем работы» не уменьшается? А если еще и запивать мясную пищу водой, которая разбавляет пищеварительный сок и уменьшает его концентрацию, тогда дела обстоят еще хуже. Пища не «переваривается», и все, что вы съели, превращается в «шлаки» — непереработанные продукты обмена веществ.

Остатки пищи, которые должны своевременно удаляться, задерживаются в организме, образуя своеобразные отравляющие вещества: индол, скатол, метан, сероводород и, самое главное, кадаверин — трупный яд. Если вы думаете, что для вас это пройдет бесследно, то вы ошибаетесь. Несмотря на то что вы пока ни на что не жалуетесь, вы уже больны. Именно так закладывается в организме будущая болезнь. Наше требование к заболевшему человеку: прежде всего категорически отказаться от мяса.

С этим связан другой важнейший фактор, во многих отношениях — решающий: *правильное обеспечение организма водой*. Вода — основа жизни, которой в организме должно быть не меньше 70%, причем не любой, в виде чая, кофе и других напитков, а чистой, структурированной. В сутки человек для осуществления биохимических и энергетических реакций теряет до 1,5 литров жидкости. К сожалению, никто не учит нас, какую воду надо пить, сколько и когда, без чего в организме происходит нарушение обменных процессов, что является началом возникновения любых заболеваний. Особенно это касается лиц пожилого возраста, которые употребляют пищу как в молодости, а жидкости употребляют не больше 1 литра.

Без воды не могут работать митохондрии — своего рода гидроэлектростанции, снабжающие клетку энергией. В первую очередь из-за обезвоженности организма страдает головной мозг. Отсюда — раздражительность, головная боль, мигрень, быстрая утомляемость, плохая успеваемость. Это все от недостатка воды. Но вода должна быть чистой. Когда мы пьем чай, кофе, другие напитки, клетки должны много энергии тратить на очищение этих жидкостей от примесей. В конце концов клетки «изнашиваются» и перестают работать как природный механизм, начинают мутировать, становятся онкоклетками. Раковые клетки есть в каждом организме, однако здоровому организму они не могут повредить. Но когда он ослаблен, эти клетки-мутанты начинают бурно размножаться.

Онкоклетки нужны для того, чтобы организм знал: добро и зло всегда рядом. Но добро не должно давать злу распространяться. А если вы сами подавляете добро — попадая в стрессовые ситуации, поддаваясь негативным эмоциям, неправильно питаясь, мало двигаясь и так далее, — то его место занимает зло. Человек — единая система, где все взаимосвязано и взаимозависимо. Когда критическое количество клеток не выполняет своих функций, неважно в каком органе, человек заболевает.

И в отношении таких страшных болезней, как рак и СПИД, та же причина. О них сложилось устойчивое мнение: с таким диагнозом человек обречен. Я считаю, что таких болезней... не существует. Это критическое состояние организма. И если оно не доведено до точки невозврата, то его в большинстве случаев можно преодолеть. И это доказывается в моих оздоровительных центрах. В эффективности нашего подхода к оздоровлению таких больных убедились представители официальной медицины.

Сейчас в Германии работает центр, который так и называется — «Оздоровительный центр космических технологий», где применяется моя космическая оздоровительная система и где ликвидируются все формы рака до химиотерапии. Мы с коллегами умеем очищать клетку, возвращать ее к норме — вот в чем дело. Важно, чтобы человек верил в выздоровление и знал, что рак или СПИД — это временное состояние. Настрой сознания на выздоровление побеждает повреждающие факторы.

Кроме того, очень важно правильное водообеспечение организма, каждая клетка должна просто купаться в чистой воде, не чай, кофе, различные напитки, а чистая вода! *Воду надо пить за 10—15 минут до еды — 1—2 стакана.* Она свободно проходит по малой кривизне желудка и собирается в районе двенадцатиперстной кишки: там, где скапливается щелочь. В результате вода не закисляется желудком, а ощелачивается.

Также необходимо **периодическое очищение организма от шлаков.** Всемирно известный хирург *Николай Михайлович Амосов,* к примеру, говорил, что испражнения здорового человека не должны иметь запаха или должны пахнуть той едой, которую он употребил. Например, поел фрукты — запах компота.

Необходимы любому человеку и **физические нагрузки** или **упражнения.** *Амосов* предпочитал выполнять до 1000 приседаний в день, необязательно за один подход. Я тоже придерживаюсь этого взгляда: не можете выполнять большой комплекс упражнений — приседайте. Мое любимое упражнение делается следующим образом:

Встать возле перил на лестнице, дерева, стойки. Носки упираются в стойку, руками взяться за стойку на уровне пупка, откинуть тело на вытянутые руки и приседать, сгибая колени и держа спину прямой.

Это упражнение обеспечивает абсолютную безопасность, поддерживает перекачку крови снизу вверх, облегчает работу сердца и позволяет избавиться от многих проблем с суставами, сердечно-сосудистой, костно-мышечной системами, укрепляет мышечный каркас спины и живота, избавляет от застоев в области малого таза: у мужчин не будет никаких аденом, а у женщин — заболеваний матки и яичников.

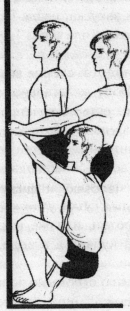

Исходное положение

Руки все время вытянуты

Приседания

Чтобы не болеть, человек должен питаться по **системе раздельного питания.** Если же человек уже болен, то, чтобы облегчить труд организма по переработке пищи, на эту систему надо переходить срочно. Что такое система раздельного питания? Не надо одномоментно смешивать белки (мясо, рыбу, черный хлеб) с углеводами (картофель, каши, белый хлеб, фрукты). Жиры можно есть с углеводами (кашу маслом не испортишь), но не с белками. Овощи и зелень хорошо сочетаются и с белками, и с углеводами.

В случае болезни вы должны отказаться от белковой пищи (мясо, рыба, яйца, молоко), потому что это сильно закисляющие продукты. Питаться следует, к примеру, так: закуска, суп или жидкое блюдо; через 3—4 часа овощная закуска, каша. При этом пить воду нужно только до еды или через 1,5—2 часа после.

Если вы ощущаете голод, то, скорее всего, вам нужна не пища, а вода. Воду желательно пить натощак. Попили — полчаса есть не хочется. Потом еще попили. И когда уже будет «сосать под ложечкой» — поешьте. И помните, что за сутки надо выпить 1,5—2 литра чистой воды. Я наблюдаю: когда люди после 60—70-летнего возраста начинают пить около 2 литров чистой воды в сутки, у них кишечник начинает нормально работать и даже морщинки разглаживаются. Клетка купается в воде, а это основа ее (и нашей) жизни.

Я более 30 лет доказываю огромную пользу **перекиси водорода**, обычной 3%-ной, которая продается в аптеке. Дело в том, что у здорового человека перекись водорода вырабатывается клетками иммунной системы, 3/4 которой находятся в желудочно-кишечном тракте. Но у большинства людей из-за неправильного питания желудочно-кишечный тракт (ЖКТ) не работает в необходимом режиме, и иммунная система не вырабатывает перекись водорода. Поэтому я всем рекомендую *в каждый стакан выпиваемой чистой воды добавлять 10—15 капель 3%-ной перекиси водорода.*

«Зачем она нужна?» — спрашивают у меня. Отвечаю: это сильнейший антиоксидант — вещество, которое убивает патологическую микрофлору и нормализует работу полезной микрофлоры. Также перекись водорода уничтожает грибки, вирусы, бактерии, глистную инвазию... Рекомендую также микроклизмы: *на 100 г теплой воды 20—30 капель 3%-ной перекиси.*

На фоне того, что творится сейчас в нашей медицине, человек, если хочет быть здоровым, должен получить хотя бы элементарные знания о том, какие процессы происходят в его организме. В наших центрах мы не только оздоравливаем, но и даем людям такие знания. Понимая смысл запретов и рекомендаций, больные сознательно следуют им — и избавляются от тяжелейших недугов без лекарств и операций, изменяя свой образ жизни. Да, это серьезная работа, она требует усилий. Но дело стоит того. Здоровье — награда трудолюбивым.

Обо всем сказанном читайте в моих книгах. В рамках данной книги-справочника я кратко расскажу об аспектах своей оздоровительной системы, как это принято в справочниках.

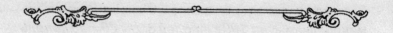

ВОДА В ОРГАНИЗМЕ

Водообеспечение организма водой — это его жизнь. Как я уже говорил, наш организм содержит 80% воды. Обезвоживание организма — это общая его зашлакованность из-за накопления мочекислых и других недоокисленных токсических веществ, откладывающихся во всей дренажной системе: сосудах, венах, межтканевом пространстве, в суставах, мышцах. В результате организм, испытывая постоянный недостаток в питании и кислороде, не может нормально функционировать, «задыхаясь» в накопленных токсических веществах, то есть в той среде, в которой начинает проявлять себя патогенная микрофлора, вплоть до образования опухолей. Кстати, нехватка воды внутри клеток приводит к разрушению энзимов — ферментов, ответственных за выведение из нее токсических веществ.

Кроме того, из-за нехватки воды уменьшается выработка нужного количества пищеварительных соков, пища полностью не переваривается, из-за чего организм зашлаковывается, закисляется и возникают различные болезни, оканчивающиеся на «оз»: склероз, артроз, атеросклероз, остеохондроз, цирроз и т. п. Вот полюбуйтесь, к чему приводит обезвоживание организма. Симптомы обезвоживания организма известны. К ним относятся:

• головокружение; головная боль, раздражительность, быстрая утомляемость, депрессия, ослабление памяти, старческое слабоумие — это проявления нехватки воды в головном мозге;

• хронические заболевания легких, бронхиальная астма и другие болезни легких — это, в первую очередь, результат обезвоживания организма;

• раздражительность, депрессия, повышенная утомляемость, бессонница;

• отеки под глазами, одутловатость лица, сухость или, наоборот, чрезмерная жирность кожи;

• сердечно-сосудистая, почечная недостаточность;

• любые заболевания, связанные с нервной системой (рассеянный склероз, болезни Паркинсона и Альцгеймера, энцефалопатия и др.);

• заболевания органов зрения (катаракта, глаукома — это следствие общей зашлакованности в результате обезвоживания организма, в том числе жидкостных структур глаз);

• заболевания ушей и носоглотки;

• дискомфорт, наблюдаемый в желудочно-кишечном тракте (урчание, запор, дисбактериоз, колиты и т. п.), — это проявление обезвоживания организма; вода, разжижая каловые камни, способствует более быстрому выведению токсических веществ, образующихся в кишечнике в результате метаболических процессов;

• отеки ног, судороги икроножных мышц, чувство жжения в стопах и пальцах ног, трофические язвы, тромбофлебит, артрозы, артриты;

• диабет, гипертония и гипотония;

• любые проявления на кожных покровах: экзема, псориаз, склеродермия и т. п.;

• миастения;

• чувство прилива у женщин в климактерический период;

• боли различной локализации

• и многое другое.

Уменьшение воды с возрастом приводит к увеличению вязкости крови, более напряженной работе сердца, заболеванию сосудов, к инфаркту и инсульту, болезни Альцгеймера, рассеянному склерозу, болезням вен и глаз. Недостаток воды в организме приводит к сгущению крови, что на 40% увеличивает риск возникновения инфаркта, инсульта;

• рак печени, желчного пузыря, поджелудочной железы, почек, прямой кишки возникает в 3—5 раз реже, если прием воды в сутки составляет не меньше 1,5 литров (не считая первых блюд, соков, овощей);

• если женщина будет выпивать не меньше 6—8 стаканов воды в сутки (не говоря уже о 2 литрах), то риск заболевания раком груди уменьшится в 5 раз;

• чем больше обезвожен организм, тем сильнее желание есть жирную пищу, а это вместе с употреблением рафинированных продуктов приводит к ожирению, камнеобразованию в различных органах, атеросклерозу;

• если появилось желание поесть, то надо выпить 1—2 стакана воды, и это желание исчезнет, а вместе с ним только за один месяц можно избавиться от нескольких килограммов веса, чего нельзя добиться ни одной физиологической диетой;

• ваш внешний вид: морщины, истонченная, сухая или жирная кожа, экзема, псориаз и др. — это не болезнь, а проявления нехватки воды, которой в кожных покровах должно быть не меньше 50%.

Кроме того, состояние кожи ухудшается, если часто мыть ее шампунями и гелями, в которых много консервантов и щелочей, смывающих кислую среду кожных покровов;

• нарушения обменных процессов — остеохондроз, остеопороз, артриты и т. п., накопление в организме недоокисленных токсических продуктов в результате пренебрежительного отношения к питанию (быстрая еда, плохое пережевывание пищи, употребление во время и после еды жидкостей, недостаточная физическая активность (утренняя зарядка, спорт), — наступающие из-за недостатка воды в организме, с помощью которой из него удаляются токсические вещества.

Уменьшение количества воды до 10% граничит со смертью.

Что делать? Насыщать организм водой: пить до 1,5—2 литров чистой воды. Подчеркиваю — чистой. Если пьете чай или кофе, то это уже измененная вода. Чтобы от нее была польза организму, клетка должна очистить эту воду и пропустить внутрь только чистую воду, а то, что было в чае (кофе), должно быть удалено из организма. Часть этих шлаков выбрасывается, а часть идет в печень, почки, что ведет к атеросклерозу. Вам это надо? Не надо. Пейте чистую воду. Чем меньше воды, тем больше сдвигается pH в кислую сторону. Нарушается кислотно-щелочное равновесие.

Для того чтобы вода превратилась в электролит, то есть заряженную и ощелаченную воду, она должна пройти транзитом через желудок и только в двенадцатиперстной кишке, обрабатываясь щелочной средой из печени и поджелудочной железы, превращается в ту воду, которая затем попадает в другие органы, желудок, легкие, кишечник, в поджелудочную железу, печень для выработки пищеварительных соков, без чего организм нормально существовать не может.

Одновременно такая вода способствует очистке двенадцатиперстной кишки, устраняя кислую среду, попадающую из желудка от плохо переработанной пищи из-за снижения концентрации желудочного сока, разбавленного жидкостью, которую пьют во время и после еды. Поэтому **пить воду надо натощак** за 10—15 минут до еды и не меньше через 1—1,5 часа после еды. В течение суток, начиная с утра, сразу 2 стакана, беря щепотку соли в рот (или 2—3 крупицы морской соли) и капнув в стакан от 5 до 10 капель 3-%ной перекиси водорода (при отсутствии дискомфортных явлений о стороны ЖКТ).

Имейте в виду, вода — это тоже пища, ведь мы на 3/4 фактически состоим из воды. За сутки надо выпить натощак 1,5—2 литра чистой воды. Все остальное не работает на здоровье.

Посмотрите на некоторых людей после 60—70 лет. Когда они начинают пить около 2 литров в сутки чистой воды, у них морщинки разглаживаются, кишечник начинает нормально работать. В воде клетка купается — это основа ее жизни. Поэтому пить надо много и только натощак, и только чистой воды.

А где же ее взять? Чистая вода — не та, которую продают. В бутылках вода кислая, она имеет pH 6,5—7. А как сделать действительно чистую воду?

Вечером вы наливаете воду из крана в кастрюлю или бутыль, она отстаивается, хлор выходит. Утром там осадок обязательно будет, хотя глазами его не видно. Вы осторожно сливаете верхнюю воду, примерно две трети всего объема, но не кипятите ее, как обычно, а доводите до мелких пузырьков.

Это так называемый «холодный кипяток», который сохраняет свою структуру в течение суток. Такая вода нужна клетке. Она уже не тратит энергию на ее очищение. Это поистине живая вода, которая возвращает человеку здоровье.

Получается, соблюдая только одно правило, заложенное в нас Природой: пить воду до еды, минимум за 10—15 минут, и через 1—2 часа после еды, — вы значительно продлите свою жизнь, причем без каких-либо проблем, ибо вода является самой жизнью и от нее зависит как питание клетки, так и избавление ее от продуктов метаболизма, то есть зашлакованности.

Следует сказать несколько слов об использовании воды снаружи. Последнее время все больше стали говорить о тесной связи биополевой структуры человека с Энергоинформационным полем Вселенной. Как известно, электромагнитное воздействие может бы как отрицательным, так и положительным. В течение дня человек, встречаясь с различными людьми, изменяет собственное биополе, как говорят, загрязняет его. Лучший способ очистки собственного биополя — это контрастный душ. Существует много способов обливания. Один из ярких примеров — обливание холодной водой, что пропагандировал знаменитый целитель *Порфирий Иванов*. Он брал два ведра воды, босым становился на землю и, после короткой молитвы о здравии всем, выливал на себя сначала одно ведро, а через 4—5 секунд второе.

Сегодня уже доказано, что если человек обливается холодной водой температурой 10—12 °C, то в организме возникает мощная теплоотдача, которая увеличивает температуру внутренней среды организма больше 40 °C.

Ученые Новосибирска (профессор *Верещагин*) добились того, что после нескольких таких сеансов раковые клетки погибают. Как видно, для этого достаточно обливаться холодной водой (ниже 12 °C). В квартире это делается следующим образом: *берутся 2 пластиковые бутылки объемом 2 литра, заполняются водой и помещаются в морозилку. В течение 30 минут вода остывает до 10 °C. Берется ведро 3—4 литра, набирается холодная вода из крана (16—18 °C). Туда добавляется вода из одной бутылки. Так же готовится второе ведро. Затем обливаетесь одним и вторым ведром.*

Если вы больны и вам хочется жить, то терять вам все равно нечего. Начните обливаться: сначала контрастной водой (сначала ведром теплой воды, потом холодной из-под крана), а потом только холодной.

Если вы обливаетесь холодной водой из-под крана, то нередко случается обострение болезней суставов, простуда и т. п. А если вы обливаетесь холодной водой ниже 11 °C, то никаких проблем

Родниковый душ: температура воды 3 — 4° С

со здоровьем не будет. Оно будет только улучшаться.

Теперь мое мнение о гигиенических водных процедурах. Дело в том, что наша кожа и клетчатка — это самый большой орган, по весу до 10 и более кг. Это механическая защита от повреждений, патогенной микрофлоры, это выделительная и всасывательная функция органа, в том числе — интенсивный газообмен, а также кожа обладает высокой регенерационной способностью. Обновление поверхности слоя кожи (слущивание эпидермиса) происходит за 7—9 дней. Поэтому мыться в той же баньке сам Бог велел один раз в неделю и только с хозяйственным мылом.

Если вы принимаете ванну чаще, то одурманивающий запах косметики использует вас по полной программе. Знайте: все шампуни — это чистая химия. Когда вы этими средствами смываете защитный жировой слой кожи, то она становится голенькой и через нее активно начинается всасывание всех химических веществ. Самым лучшим оздоровительным средством для кожи, избавляющим ее от негативной энергии, является душ (контрастный), обливание и купание. Вывод делайте сами.

ПЕРЕКИСЬ ВОДОРОДА

Без перекиси водорода практически ничего в Природе не происходит, она лежит в основе всех физиологических, биохимических и энергетических процессов, протекающих в организме. Например, молозиво матери и женское молоко содержат много перекиси водорода, что служит запуском работы иммунной системы ребенка. Или, к примеру, действие знаменитого интерферона основано на том, что он стимулирует выработку клетками иммунной системы перекиси водорода.

Перекись водорода является мощным регулятором доставки клеткам микро- и макроэлементов, того же кальция — клеткам головного мозга и лучшей их усвояемости, а также очистки от шлаков, окисляет токсические вещества, попавшие в организм как извне, так и образовавшиеся внутри самого организма, что, в свою очередь, повышает работу так называемых простагландинов, являющихся важнейшими структурными элементами всей иммунной системы. В настоящее время доказано, что лактобактерии, живущие в толстом кишечнике, также способны вырабатывать перекись водорода. Дело в том, что все болезнетворные микроорганизмы, так же как и раковые клетки, могут существовать только при отсутствии кислорода. Это касается не только желудочно-кишечного тракта, но и органов малого таза, женской и мужской половых сфер и т. д.

Достаточно хороший эффект перекись водорода дает при *инсулиннезависимом диабете* и показывает положительную динамику при *инсулинзависимом диабете.*

Перекись водорода является единственным природным антиоксидантом, вырабатываемым лимфоидной тканью в тонком кишечнике, без которого мы вообще не могли бы жить. Как правило, обычно у всех желудочный тракт закислен и зашлакован, поэтому клетки иммунной системы, которая вырабатывается в кишечнике до 70%, перестают работать нормально. Вот почему различные иммуномодуляторы, иммунодепрессанты и другие аналогичные средства никогда не помогут организму восстановить работу иммунной системы. К сведению, за рубежом ни одна страна не создает фармсредства, которые якобы способствуют активации иммунных клеток, там основное внимание акцентируется на состоянии пищеварительной системы.

Перекись водорода надо принимать так: *в каждый выпиваемый стакан чистой воды желательно капать по 10 и больше (до 20 капель) 3%-ной перекиси водорода и сразу выпивать за 10—15 минут до еды и через 1, 5—2 часа после. В течение 3—4 часов до следующей еды.* В такой воде убивается любая патогенная микрофлора. Она становится стерильной. На одну литровую бутылку с пробкой можно взять 1—2 ч. ложки перекиси.

Для профилактики различных воспалительных заболеваний, инфекций (грипп) и лечения носоглотки можно использовать перекись водорода так: *взять 1—2-граммовый шприц, набрать жидкости (четверть стакана воды, в которую накапать 15—20 капель 3%-ной перекиси), зажать одну ноздрю, а в другую ее вливать с одновременным втягиванием жидкости в себя. То же самое сделать с другой ноздрей.*

Перекись водорода во время процедуры не только промывает носоглотку и пазухи, устраняя такие серьезные заболевания, как гайморит, фронтит, но и проникает в легкие, а через решетчатую кость во лбу проникает в мозг, избавляя от проблем с пазухами лица, заболеваний носоглотки. Также эта процедура является одним из эффективных методов профилактики и избавления от гриппа, проблем с хроническими заболеваниями легких и мозга.

Введение раствора в уши способствует избавлению от тугоухости. Внутривенное или внутриартериальное введение 0,1—0,15%-ной перекиси водорода делают так: *на 200 мл физраствора в первый день взять 5 мл 3%-ной перекиси водорода, на второй день — 6 мл, на третий — 7, на четвертый — 8, а затем до 7—9 дня — по 8 мл на 200 мл физраствора капать по 60 капель в минуту.* В США эта процедура является узаконенной.

Так как наша официальная медицина этого никогда не разрешит из-за простоты и дешевизны, то в домашних условиях перекись водорода можно вводить через прямую кишку, что особенно эффективно при любых заболеваниях в тазовой области.

Вначале берем 100 мл обычной воды. Добавляем 20—30 капель 3%-ной перекиси водорода и с помощью груши вводим в прямую кишку. Эта процедура оказывает непосредственное влияние на все органы, находящиеся в малом тазу, что даже полезнее для всего организма. Или как при внутривенном введении вводить по 60—80 капель в минуту.

К сведению, Ижевская медицинская академия, в лице старейшего кардиохирурга страны профессора *А. В. Ситникова*, разработала информационное письмо, где описывает, что такая процедура спасает больных с инфарктом, инсультом, гангреной и другими тяжелейшими заболеваниями, с которыми официальная медицина не может справиться.

Если у вас на коже появились бородавки, папилломы, родинки — даже меланома — никому не давайте их удалять. Несколько дней подряд смачивайте их 3%-ной перекисью. Если эта процедура не даст эффекта, то возьмите лейкопластырь, сделайте в нем дырочку по величине образования, наклейте и смачивайте новообразование чистотелом, не затрагивая здоровую кожу. Как устранить меланому, читайте в книге «Перекись водорода».

АЛКОГОЛЬ — ЗЛЕЙШИЙ ВРАГ ЗДОРОВЬЯ

Честно сказать, не люблю я эту тему, потому что даже самые, извините, отсталые знают, что алкоголь вреден, хотя бы тем, что от него страдает печень. Но пьют, очевидно рассчитывая, что «меня это минует».

История напоминает, что сколько ни существует человек, он находит средство для опьянения (сброженные соки, вино, водка). Сколько ни принимались «сухие» законы, запрещающие прием алкогольных напитков, ни к чему хорошему это не приводило. Водка во все времена составляла 1/3 бюджета государства и кормила все население.

За годы перестройки и в настоящее время выведение изготовления спиртных напитков из-под государственного контроля дало возможность для создания криминогенных структур и свободу зарубежным фирмам, которые обогащаются фактически за счет уничтожения русской нации.

Помните, с каким восторгом в годы перестройки наш народ употреблял американский спирт? Казалось, вот какой чистый, большой объем, и, главное, недорогой. А впоследствии выяснилось, что он был на грани фола, плохо очищенный и здорово потравил нацию...

Интересно, что этиловый спирт (этанол) вырабатывается в нашем организме в небольших количествах и является необходимым звеном в биохимических реакциях, и чем больше вы принимаете пищи, тем его больше. Вы, конечно, замечали, что после еды наступает благостное состояние и хочется всех любить? Это результат работы вашего «самогонного аппарата».

Помимо приема пищи на количество внутреннего этанола влияют и физические упражнения, занятия спортом, когда испытываешь своеобразный кайф, который вполне мог заменить увлечение теми же наркотиками, алкоголем, что, например, использует доктор *Я. И. Маршак* при лечении наркоманов. В основе такого лечения заложены психологическая программа «12 шагов», низкогликемическая диета и другие мероприятия.

При приеме даже 50 мл водки организм включает все резервные механизмы, для того чтобы привести в норму «рассогласованные» системы. Это воспринимается как эйфория, легкое возбуждение на фоне хорошего приема пищи.

При приеме большего количества алкоголя организм прекращает вырабатывать собственный этанол и начинает бороться с поступившим извне с помощью специального фермента *алкогольдегидрогеназы*, причем у мужчин его больше, а у женщин меньше: вот почему они пьянеют и спиваются быстрее мужчин.

В ожидании водки организм уже начинает вырабатывать вещества, которые он не должен вырабатывать, на что тратится много энергии. Помимо этого, излишек спирта поглощается жировыми клетками, вот почему у таких людей появляется одутловатость. Как хороший растворитель спирт разрушает жировую пленку, окружающую эритроциты. Они начинают слипаться, а это уже тромбы, с которыми организм, в свою очередь, также начинает бороться, выделяя специфические *антитромбические вещества*. Но так долго продолжаться не может.

Спирт легко проникает в клетки, в том числе в половые, влияя на наследственную структуру. Влияние алкоголя на женский организм в 200—250 раз сильнее, чем на мужской. Это объясняется тем, что в организме женщин закладывается от природы постоянное количество яйцеклеток, и эти «пьяные» клетки, так же как и «прокуренные» или подвергшиеся воздействию наркотиков, остаются до конца жизни, что, конечно, влияет на будущих детей. У мужчин практически через месяц воздержания от алкоголя и курения сперматозоиды полностью обновляются, поэтому в этом случае ранее употребленный алкоголь и табак не скажутся на здоровье будущего ребенка.

В обязанности печени входит много функций, в том числе разрушение гормонов, которые дарят нам ощущения молодости, радости. Если алкоголя в крови много, то печень бросает все силы на борьбу с его нейтрализацией и лишние гормоны поступают в кровь, вот почему «пьяному море по колено». И что немаловажно, при этом наблюдается избыток тестостерона, а это половое влечение. Однако не зря говорят: вино возбуждает желание, но лишает возможности его осуществить. Так как у женщин тоже увеличивается количество тестостерона, голос у них грубеет и усиливается желание половой близости.

Если на этом фоне возникают любые стрессовые ситуации (выяснения отношений и т. п.), то выделение адреналина и норадреналина вместе с тестостероном образует «гремучую смесь», в результате чего резко повышается агрессивность с вытекающими отсюда последствиями.

В ЧЕМ ПРИЧИНА ПАГУБНОГО ВЛИЯНИЯ СПИРТНЫХ НАПИТКОВ НА ОРГАНИЗМ

В организме есть и щелочи, и кислоты, их равновесие (так называемый кислотно-щелочной баланс) в норме находится в пределах 7,4 плюс-минус 0,15, то есть нейтрально-слабощелочная среда. Водка имеет щелочную реакцию в 7,6—7,78, в зависимости от концентрации спирта.

Как правило, наш организм зашлакован и, значит, закислен. Выпив стопку водки, человек хмелеет из-за того, что закисленная среда жидкостного «конвейера» получает приток щелочи, которая приближается к рН крови, который у здорового человека равен 7,35—7,45. Если выпить больше 50—100 мл водки, спирт через некоторое время преобразуется в уксусную кислоту, рН которой составляет 2,9, что отрицательно воздействует на мозг. Похмельный синдром как раз и объясняется этим, и чтобы снять головную боль, надо не похмеляться спиртным, а *выпить стакан чуть подсоленной воды, куда добавить 1 ч. ложку 3%-ной перекиси водорода.*

Известно, что алкоголь способствует выработке *эндорфинов,* гормонов удовольствия, чем и объясняется пристрастие к алкоголю. Замечено, что алкоголику всегда хочется пить, его одолевает жажда, вот почему наблюдается похмельный синдром. Но ему в этот момент нужна не водка, а подсоленная вода. И если ее прием станет нормой, то тяга к алкоголю не только уменьшится, но и совсем исчезнет, и пьяница может стать трезвенником. Возьмите на заметку следующие две рекомендации.

Привести в чувство пьяного можно так: *уложить на спину, положить ладони на уши и быстро и с нажимом их растереть.*

Доктор *Джарвис* связывал страстное желание пить водку с недостатком в организме *калия* и *мёда*, в котором много калия; прием мёда помогает уменьшить тягу к спиртному или полностью от нее избавиться. Вот рекомендации *Джарвиса: надо съесть с небольшим количеством воды 6 ч. ложек мёда, через 20 минут еще 6 ч. ложек мёда и через 20 минут еще раз съесть такую же смесь. Все это делать на ночь. Утром выпить глоток водки и снова повторить прием мёда.* Как заявляет *Джарвис*, отвращение к водке гарантировано.

КАК АЛКОГОЛЬ
ВЛИЯЕТ НА ПОДЖЕЛУДОЧНУЮ ЖЕЛЕЗУ

Алкоголь, поступивший в организм, начинает расщепляться под воздействием печеночных ферментов, *алкогольдегидрогеназы* и *ацетальдегиддегидрогеназы* с последующим образованием уксусной кислоты. А у поджелудочной железы нет таких ферментов, которые расщепляют поступивший алкоголь, поэтому алкоголь, поступив с током крови в поджелудочную железу, не расщепляется.

Он начинает с большей интенсивностью вырабатывать *серотонин*, который повышает выделение секреции поджелудочной железы.

Это приводит к повышению давления внутри органа путем давления на выводные протоки поджелудочной железы и их закупорке ферментами поджелудочной, особенно *сфинктера Одди*, который открывается в двенадцатиперстную кишку и по которому, когда орган здоров, секрет с ферментами поджелудочной железы должен поступать в кишку, где продолжается процесс переваривания пищи.

Раз ферменты поджелудочной вырабатываются, а пройти в двенадцатиперстную кишку не могут, они начинают переваривать клетки собственного органа. Это называется панкреонекроз. Если продолжать употреблять алкоголь, это может привести к тотальному поражению — паннекрозу — поджелудочной железы и в конечном результате к смерти человека.

Еще наблюдается такое отрицательное действие алкоголя на поджелудочную, как изменение ее **нервной регуляции**, то есть после того как алкоголь оказывается в организме и впитывается в кровь, поджелудочная железа перестает контролировать необходимую норму выработки инсулина.

Больше всего на выработку инсулина влияют крепкие спиртные напитки — водка, коньяк, самогон. Как только они достигают желудка, там уменьшается уровень соляной кислоты. А это отрицательно отразится на работе поджелудочной железы.

При первом попадании в организм спиртное, раздражая поджелудочную, усиливает выработку инсулина. Спиртное — это чистые углеводы.

Уровень сахара в крови резко взлетает вверх. Большое количество инсулина, конечно, справится с большой дозой поступившей глюкозы. Но более вероятно, что инсулина окажется немного больше, чем было нужно. Тогда через некоторое время уровень сахара сильно упадет, что может вызвать **гипогликемическую кому***: выпившему человеку трудно контролировать свое состояние и вовремя принять необходимый препарат.

Кроме того, у постоянно пьющих людей поджелудочная железа постепенно настолько истощается, что начинает развиваться **сахарный диабет**, который зачастую протекает в скрытой форме и бывает установлен только при лабораторных обследованиях. Многие диабетики до определенного момента не связывают выработку инсулина поджелудочной железой с употреблением водки, пива или даже сладкого красного вина.

Согласно медицинской статистике, более половины всех случаев развития хронического **панкреатита** провоцирует именно спиртное — будь то пиво, джин-тоник или коньяк. Кроме того, у людей, увлеченных алкоголем, нередко можно наблюдать **появление камней** (так называемых белковых пробок) в поджелудочной железе.

Также постоянно употребляющие алкоголь находятся в зоне риска развития онкологии. Среди наиболее коварных онкологических заболеваний,

----

* **Гипогликемическая кома** — крайняя степень проявления гипогликемии, развивается при быстром снижении концентрации глюкозы в плазме крови и резком падении утилизации глюкозы головным мозгом.

также часто приводящих к смерти больного, **рак поджелудочной железы.** Этот недуг длительное время протекает бессимптомно и проявляет себя зачастую лишь тогда, когда опухоль, метастазируя, уже поражает другие органы. Думаю, комментировать это нет необходимости.

К сожалению, потребление алкоголя в современном мире постоянно увеличивается. В России этот показатель сегодня составляет около 15 литров чистого спирта на человека с учетом младенцев и пенсионеров. Конечно, многие понимают, что алкоголь — это яд для организма, однако как рассуждают: а как же застолье, праздник, как без бокала шампанского или вина, а как же селедочка и огурчик без водочки?!

Спрашивают, есть же безопасная доза, сколько? Ответ может быть только один: **забудьте про алкоголь!!!** При любых недугах этого органа потребление любого объема какого-либо алкоголя — будь то дорогой виски или коллекционный коньяк — чревато серьезными осложнениями. Панкреотоксичной дозой даже для здорового человека считается 50 мл чистого этанола в сутки, при этом неважна даже крепость напитка. Слабоалкогольные напитки, так же как коньяк или вино, содержат этанол:

- пиво (0,5 л) — 25,5 мл;
- шампанское (0,75 л) — 90 мл;
- коньяк (0,5 л) — 200 мл спирта.

В зависимости от тяжести алкогольного панкреатита можно говорить о прогнозе заболевания, а также о продолжительности жизни больного. Если патологические изменения в поджелудочной железе еще незначительны, то при отказе от алкоголя функции данного органа могут восстановиться. При запущенном процессе, а также при несоблюдении диеты и частом приеме алкогольных напитков частота обострений возрастает, при этом очередной приступ может закончиться летальным исходом.

Если вы все еще интересуетесь, можно ли употреблять спиртное при болезнях поджелудочной железы, стоит отметить, что после хронической формы такой болезни у алкоголиков может развиваться панкреонекроз, который также чреват летальным исходом.

Запомните: поджелудочная железа и алкоголь несовместимы!

КАК АЛКОГОЛЬ
ВЛИЯЕТ НА ПЕЧЕНЬ

Печень является важнейшим органом, участвующим во всех обменных процессах, нарушение в котором немедленно сказывается на всех органах и системах организма, так же как изменения в них — на печени. Именно в ней происходит обезвреживание токсических веществ и удаление поврежденных клеток. Печень является регулятором сахара в крови, синтезируя глюкозу и преобразуя ее избыток в *гликоген* — главный источник энергии в организме.

Печень — это орган, удаляющий избыток аминокислот путем разложения их на аммиак и мочевину, здесь осуществляется синтез фибриногена и протромбина — основных веществ, влияющих на свертывание крови, синтез различных витаминов, образование желчи и многое другое.

Печень сама по себе не вызывает болей, если только не наблюдаются изменения в желчном пузыре, она обладает высочайшей регенеративной способностью: восстановление доходит до 80%. Известны случаи, когда после удаления одной доли печени через полгода она полностью восстанавливалась.

Необходимо знать, что повышенная утомляемость, слабость, снижение веса, неясные боли или ощущение тяжести в подреберье справа, вздутие, кожный зуд и боли в суставах — это проявление нарушений работы печени.

Работа печени — это синтез необходимых организму веществ и поставка их в сосудистую систему, а также удаление продуктов метаболизма. Печень — это главная очистительная система организма (в сутки через печень проходит около 2000 литров крови, или, иначе, циркулирующая жидкость фильтруется здесь 300—400 раз), в печени — фабрика желчных кислот, участвующих в переваривании жиров, во внутриутробном периоде печень действует как кроветворный орган.

Можно сказать, что печень работает на весь организм. Именно поэтому неправильное питание, алкоголь и различные лекарства в первую очередь негативно воздействуют на этот орган.

Алкоголь является ядом, убивающим клетки (поэтому, например, порез или ссадину можно обработать спиртом, и микробы погибнут). Этанол концентрируется в печени и мозге (если принять содержание спирта в крови за единицу, то в печени будет 1,5, а в мозге 1,75 единиц) — следовательно, в первую очередь убиваются клетки в этих органах.

Концентрация этанола, достаточная для убийства клеток мозга, создается после приема более 20 мл спирта у мужчин и более 10 мл у женщин.

Алкоголь является мутагеном*:

• Мутантные клетки (измененные) собственного тела во взрослом организме обычно уничтожаются иммунной системой (а если она почему-то не справляется, то возникает рак, у алкоголиков — рак ротовой полости, пищевода, желудка и печени).

• Мутации в половых клетках никак не проявляются у человека, который выработал эти клетки, зато они проявляются у его детей.

• Сперматозоиды в семенниках у мужчин развиваются в течение 75 дней, поэтому если вы запланировали кого-нибудь зачать — перед этим 2,5 месяца полностью воздержитесь от алкоголя, и все будет хорошо.

• Женщинам такая мера не поможет: яйцеклетки имеются у них с рождения, так что если женщине 20 лет, значит, и ее яйцеклеткам 20 лет, и все мутагенные воздействия, которые происходили за эти 20 лет, в яйцеклетках накапливаются.

Алкоголь нарушает развитие плода. Нарушения эти связаны не с мутациями, а с неправильным взаимодействием клеток развивающегося плода. Больше всего страдает мозг: дети алкоголиков обычно умственно отсталые. Кроме того, возможны и уродства: недоразвитие конечностей, поражение сердца, почек и т. д.

---

* **Мутационная теория канцерогенеза** — общепринятая теория, согласно которой причиной возникновения злокачественных опухолей являются мутационные изменения генома клетки.

Алкоголь является сильнейшим наркотиком. После употребления он концентрируется в мозге, и там он воздействует на 2 группы нейромедиаторов.

• Активирует рецепторы гамма-аминомасляной кислоты (ГАМК), одного из важнейших тормозных медиаторов нервной системы человека. Понижается возбудимость клеток, человек успокаивается.

• Усиливает синтез наших собственных опиатов: эндорфинов (гормонов удовольствия), а также дофамина — медиатора, который возбуждает центры удовольствия. У человека возникает эйфория.

Систематическое потребление алкоголя изменяет обмен веществ в организме:

• Этанол становится штатным источником энергии, поскольку получать энергию из спирта организму гораздо проще, чем из пищи. Но аминокислоты, жирные кислоты, витамины из алкогольных напитков получить нельзя, поэтому у алкоголиков развиваются дистрофия и авитаминозы.

• Искусственное стимулирование приводит к тому, что организм начинает производить меньше собственных опиатов и ГАМКа. Без опиатов человек испытывает неудовлетворение, которое снимается приемом алкоголя. Это приводит к развитию синдрома психической зависимости, а затем и всех остальных наркотических синдромов.

Существуют обстоятельства, при которых даже одна или две порции алкоголя могут быть опасными:

• при вождении или работе с механизмами (поскольку алкоголь делает то, ради чего его употребляют — расслабляет человека, при этом уже от одной порции алкоголя скорость реакции уменьшается в 10 раз);

• во время беременности или кормления грудью (поскольку алкоголь попадает в организм ребенка и может вызвать у него нарушения развития);

• во время приема определенных лекарств, которые могут химически реагировать с этанолом;

• при медицинских противопоказаниях;

• если человек не в состоянии контролировать употребление алкоголя.

Неважных органов в человеческом организме не существует. Каждый человек создан таким образом, что только согласованная работа всех органов и систем позволяет ему вести полноценную жизнь. Надо также обратить внимание на то, что организм, имея громадные резервные возможности, до определенного предела сам старается навести в себе «порядок», но, к сожалению, признаки нездоровья у человека возникают тогда, когда заболевание уже развилось на 30—50%.

Запомните: 50% болезней, в том числе онкологических, могут быть устранены **за счет здорового образа жизни и рационального питания,** то есть многое находится в ваших руках.

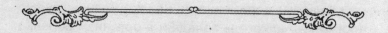

СОДА

В домашних условиях повысить уровень щелочи в организме поможет сода. Важная роль соды заключается в нейтрализации кислот. Вы лечите желудочно-кишечный тракт, язвы и прочее. Оказывается, сода — щелочь, при атеросклерозе она очищает сосуды от бляшек, восстанавливает pH до нормы. Атеросклероз уходит, сосуды мозга прочищаются.

Вы всего-навсего используете соду, которой чистите кастрюли на кухне от жира, грязи, ржавчины. Стоит она копейки. Она обладает таким же качеством для тела, она очищает сосудистую систему от грязи, в том числе клетки, способствует растворению камней, освобождает печень и почки от шлаков. Ощелачиваете организм, тем самым восстанавливаете pH среды, **устраняете ее закисление**, оздоравливаете себя.

Выщелачивание с помощью соды, или, иначе, растворение всех вредных отложений (недоокисленных веществ), способствует устранению всех проблем с суставами (остеохондроз, остеопороз, подагра, ревматизм), камнями в печени, почках, мочевом пузыре. Это также касается выделительной системы: почки фактически промываются, сода восстанавливает работу всей ферментной, гормональной системы, пищеварительных соков, которые, как я уже говорил, в кислой среде работать не могут.

Принимать соду надо следующим образом: *на 3/4 стакана горячей, не кипяченой воды, взять в начале 1/4 ч. ложки соды, растворить ее, оттуда должен в виде пузырьков улетучиться углекислый газ. Затем добавить немного прохладной воды и чуть более теплой и выпить. Пить утром и вечером натощак, за 20—30 минут до еды. Через 1—2 дня уже берете пол чайной ложки, затем по чайной ложке без верха, а в последующем — по чайной ложке.* **Использовать прохладную воду категорически нельзя!** После приема вначале вас может слегка покачивать, как после выпитого вина. Ничего страшного нет, можете полежать.

Во время первых приемов сода бурно воздействует на кишечник, и из вас в ближайшие 0,5—1 час начнут выходить ошметки грязи (это не понос). Через несколько дней кишечник на прием соды будет реагировать нормально. Если после приема увеличенного количества соды вы чувствуете дискомфорт, не увеличивайте количество. Сода все равно оказывает свое благотворное действие. Слушайте свой организм, но от приема соды не отказывайтесь.

Замечено, что при постоянном употреблении соды в ряде случаев происходит задержка стула на 1—3 дня. Желательно в это время далеко не отходить от туалета, ибо сдержать возникающие позывы бывает очень трудно. Вы будете поражены тем, сколько из вас выйдет нечистот. Чтобы улучшить состояние после этого, примите стакан сладкой воды или чай с мёдом.

Если у вас ежедневно нормально работает кишечник, то вы реже принимаете соду или даже с перерывом, а при задержке стула каждый день в одно и то же время садитесь на стульчак.

Как известно, в организме находится много точек, которые, как своеобразные коммутаторы, символизируют о тех или иных изменениях. Это глаза (иридодиагностика), это уши, ладони, стопы (рефлексотерапия). Есть еще орган, на котором есть точки, связанные со всеми частями тела. Это **толстая кишка** длиною около метра. Это своеобразная канализационная труба, которая практически у всех людей загрязнена.

При загрязнении эти точки постоянно сигнализируют о том, что тот или иной орган болен. То есть вы постоянно представляете собой энциклопедию болезней и где что прорвется — это дело случая. Загрязнение кишечника зависит он неправильного режима питания, водообеспечения, движения. То есть это самый главный коммутатор, свидетельствующий о вашем здоровье, который всегда должен быть чистым.

Периодически делайте клизмы: *1 ст. ложка соды на 1 литр воды. Растворить соду в горячей воде и в теплом виде с 1 ч. ложкой соли вводить в прямую кишку.* Также клизмы рекомендуются с целью поддержания pH в пределах физиологической нормы периодически, так как мы ежедневно закисляемся. Несколько раз в неделю делать клизмы с содой: *1 ст. ложка соды на 1—1,5 литра теплой воды.* Это оказывает хороший оздоровительный эффект. Чем более выражено заболевание, тем чаще рекомендуется делать клизмы.

Прием соды может быть рекомендован при любой кислотности желудка, который она проходит транзитом. Сода не оказывает ни возбуждающего, ни тормозящего влияния на кислотовыделительную функцию желудка. Наоборот, избавляет от всех недугов, связанных с пищеварительным трактом. Но имейте в виду: *при потреблении в день 3 стаканов воды с содой вы должны выпивать 1,5—2 литра чистой воды.* Если вы не будете этого делать, то результат будет менее выражен. *Клетка должна купаться в чистой воде.*

СОЛЬ

Мы с вами при эволюционном развитии прошли начальную жизнь в морской воде, концентрация хлорида натрия в которой составляет 0,9%. Доказательством этому является то, что можно видеть у неродившихся детей вместо легких жабры, а вместо копчика — хвостик. Выйдя на сушу, мы попали в необычную среду, где хлора, являющегося основой соли, в растительных продуктах и в животном мире нет. Поэтому эмпирически было принято решение, что человек должен получать 6 г соли в сутки: 4 г промышленность использует для приготовления продуктов, а 2 г у вас должно быть на столе.

Белковая пища требует сильной концентрации желудочного сока, часть которой идет на переработку пищи, а часть всасывается в кровь для поддержания физиологической постоянной величины 0,9%. Чтобы обеспечить постоянную концентрацию натрия хлорида в крови 0,9%, или 40—50 г соли на 4—5 литров, необходимо после приема белковой пищи, особенно углеводной и растительной, через 30 минут после еды, взять соли на кончике чайной ложки или 3—4 крупинки морской соли, рассосать ее во рту и проглотить.

Некоторые врачи предлагают бессолевую диету, чего делать нельзя. Повторяю, что концентрация хлорида натрия в крови должна быть 0,9%, как в морской воде. Отсутствие в организме определенного количества соли вызывает значительные изменения в различных органах и даже возникновение заболеваний (ахилия — отсутствие соляной кислоты и фермента пепсина в желудочном соке).

Необходимо фиксировать, сколько чуть подсоленной воды вы выпили и сколько выделили, постепенно добавляя по 0,5—1 стакану в день. Если объем выделяемой воды увеличивается, то все в порядке. Сама по себе вода является прекрасным мочегонным средством.

Официальная медицина считает, что причиной заболеваний вода быть не может, а служит только средством транспортировки, что является крайне опасным заблуждением. Для вывода избыточной соли, образующейся в результате обменных процессов, требуется увеличение объема мочи. При пониженной выработке мочи происходит опухание ног и век, вот почему количество потребляемой воды должно соответствовать количеству выделяемой мочи. Во время появления отеков прием подсоленной воды надо прекратить, а начнут спадать — прием воды можно постепенно увеличивать.

Кислород, вода, соль и калий являются основными элементами, необходимыми для нормальной жизнедеятельности организма. Около 27% соли, используемой для их твердости, находится в костях, поэтому дефицит соли в крови может служить причиной развития того же остеопороза, и, чтобы сохранить должный уровень соли в крови, она извлекается из костей.

Недостаток соли приводит к повышению кислотности в органах, что, в свою очередь, служит пусковым механизмом образования опухолей. Если организм накапливает соль, то он пытается удерживать воду, которая, отфильтровываясь, направляется в клетку. Если количество потребляемой воды увеличивается, а количество соли — нет, то организм начинает терять соль. Мышечные спазмы, головокружение, обмороки — это дефицит воды и соли, признаки обезвоживания организма.

Многие не знают, как правильно готовить овощи. Как правило, овощи нужно варить в соленой воде, тогда овощ впитает в себя столько соли, сколько ему нужно. Это совет *Л. Г. Кравец*. Благодаря этому готовые блюда, тот же винегрет, становятся вкуснее.

Картофель считается вредным продуктом из-за крахмала и полисахаридов, поэтому он не рекомендуется, в частности, диабетикам.

Вечером возьмите и хорошо промойте картофель, кожуру не снимайте, в ней находится все ценное. Разрежьте клубни пополам, залейте водой и оставьте до утра. Кожура — это клетчатка, лучшее средство для работы толстого кишечника. Такой картофель вместе с кожурой полезен всем, даже больным диабетом.

САХАР

Народная пословица гласит: «Чем слаще жизнь в молодости, тем горше жизнь в старости». Значит, согласно этой пословице, сахар вреден? Все зависит от его количества.

Как известно, наша пища состоит из шести основных компонентов: *белков, жиров, углеводов, витаминов, минеральных и балластных веществ*. И так как однородной пищи не бывает (ее можно создать только процессом рафинирования), она называется преимущественно белковой и углеводной.

Сахар, являющийся представителем семейства углеводов, организму необходим для обеспечения нормальной жизнедеятельности, так же как белки, жиры. Многие считают, что сахар — это то, что находится в сахарнице. На самом деле это вещество находится в шести различных видах: *фруктоза, галактоза, глюкоза, мальтоза, лактоза и сукровичный сахар*.

Углеводы и конечный их продукт — *глюкоза* — организму необходимы как энергетический источник, своего рода топливо для работы клеток, количество которого, независимо от работы, должно находиться в определенных пределах. В норме глюкозы в крови, измеряемой натощак, должно быть в пределах 3,3—5,5 ммоль/л (миллимоль на литр). После еды или физических нагрузок уровень глюкозы может повышаться до 7,8 ммоль/л.

Излишняя глюкоза, которая не расходуется организмом, преобразуется в сложный сахар *гликоген* и откладывается в печени (и часть в мышцах) как своего рода резерв топлива. Это что касается энергетического обмена в организме.

Хотя говорят, что сахар — это «белая смерть», никто до сих пор не может точно сказать, сколько можно его употреблять без вреда для здоровья. Сколько надо принимать углеводов, белков, жиров, витаминов, микро- и макроэлементов, известно, а сколько сахара, что очень важно, — нет.

Организм каждого человека индивидуален, и если бы была возможность до тонкостей проверить каждый организм, можно было бы говорить и о нужном количестве потребляемых белков, углеводов и жиров. К примеру, все боятся слова «жир», а без него организм жить не может, и очень часто делает запасы. И без сахара тоже.

Углеводы поступают в организм человека в составе пищи в виде моносахаридов. Моносахариды, из которых синтезируются дисахариды (простые сахара), представляющие собой отдельные молекулы, которые состоят из глюкозы и фруктозы, а полисахариды представляют собой длинную цепь соединенных друг с другом моносахаридов.

Сахар — это консервант, который улучшает текстуру продукта, что позволяет сделать пригодным даже самое некачественное сырье, что дома не могли бы никогда использовать. По рекомендации ВОЗ, максимальное количество сахара для мужчин должно составлять 60 г, а для женщин — 50 г в сутки (но только с учетом содержания всего сахара, который находится и в продуктах, что, как правило, никто не указывает) при условии: минимум 30 минут интенсивных движений.

Указывать количество сахара в продуктах пищевики, вероятно, никогда не будут, так как понесут большие финансовые потери. Они даже додумались до того, что предлагают в питании уменьшить количество жира, так как он якобы способствует ожирению, а сахаром как более дешевым продуктом восполнить этот пробел. Хотя известно, что сахар сам по себе может поспорить с жиром по способности наращивать подкожные жировые отложения.

Еще лет 10 назад сахара в пищевых продуктах было в несколько раз меньше, чем сейчас. В настоящее время он есть во всех продуктах, включая продукты из переработанного мяса (колбасы, ветчины), соленую рыбу, консервированные овощи, соусы и т. д. Дело в том, что изготовление 1 кг сахара обходится достаточно дешево, а применение всевозможных специй, полезных вкусовых добавок к продуктам и т. п. значительно дороже, вот и добавляют сахар для улучшения вкусовых качеств. И указывать количество сахара в продукте не спешат. Имейте в виду, что патока, глюкоза, сахароза, фруктоза — это все сахар. Одним словом, бизнес…

Много сахара добавляют даже в продукты детского питания. Особенно много сахара содержится в различных кондитерских изделиях и напитках. Например, в банке газированной сладкой воды объемом 0,5 литра содержится от 7 до 12 ч. ложек сахара, в стаканчике мороженого — от 3 до 5 ложек.

В результате рафинированный сахар употребляется в пищу в количествах, превышающих норму. Считается, что пищеварительная система здорового человека может усвоить без заметных проблем, в среднем, от 2 до 4 ч. ложек сахара в день.

Сахар — это бытовое название сахарозы. По химическому составу она классифицируется как углевод дисахарид, состоящий из глюкозы и фруктозы. Сахароза не содержит ни витаминов, ни минеральных солей, ни каких-либо иных биологически активных веществ, которые имеются практически во всех других продуктах питания растительного и животного происхождения.

Тем не менее это не означает, что у сахара нет никаких достоинств. Он считается лучшим, наиболее экономичным источником энергии. На его усвоение организм расходует всего около 7—14% энергии от общих затрат ее на основной обмен (на мясо тратится в 3 раза больше).

Глюкоза необходима для питания тканей головного мозга, печени, мышц и обеспечивает более половины энергетических затрат организма. Ее недостаток может ослабить любой орган, который нуждается в глюкозе для нормального функционирования.

При попадании сахара в организм человека сахароза быстро разделяется на глюкозу и фруктозу, которые затем всасываются в кровь без участия пищеварительной системы.

Концентрация сахара в крови быстро повышается, и это служит сигналом для выделения инсулина — *гормона поджелудочной железы.* Инсулин стимулирует активность фермента глюкокиназы, присутствующего в клетках печени и способствующего присоединению к молекулам глюкозы фосфора, поскольку только в таком виде глюкоза может расщепляться здесь же, в печени, до конечных продуктов обмена, выделяя при этом энергию.

При превышении потребления глюкозы над потребностями организма в энергии часть глюкозы под воздействием инсулина преобразуется в гликоген, который откладывается в печени и мышцах. В промежутках между приемами пищи гликоген распадается на молекулы глюкозы, что смягчает колебания уровня сахара в крови.

Запасы гликогена без поступления углеводов истощаются примерно за 12—18 часов. В этом случае включается механизм образования углеводов из промежуточных продуктов обмена белков. Это обусловлено тем, что углеводы жизненно необходимы для образования энергии в тканях, особенно мозга. Клетки мозга получают энергию преимущественно за счет окисления глюкозы.

Что происходит в организме людей, которые едят много сладкого? У таких людей возникает *гипергликемия*, то есть повышенное содержание глюкозы в крови, что влечет за собой и повышенную секрецию инсулина для того, чтобы эту глюкозу утилизировать. В результате бета-клетки островков Лангерганса поджелудочной железы, продуцирующие инсулин, работают с перегрузкой. Когда они истощаются и начинают меньше вырабатывать инсулина, то нарушаются процессы превращения и расщепления глюкозы. А это может привести к развитию сахарного диабета.

Есть и другая опасность, угрожающая любителям сладкого. В процессе расщепления и дальнейшего превращения глюкозы в печени образуются жирные кислоты и глицерин. Жирные кислоты выделяются в кровь и транспортируются в депо жировой ткани, например, в подкожную жировую клетчатку, и откладываются там. При избыточном поступлении сахара в организм может повыситься содержание жира в крови *(гиперлипидемия)*, и он в большей степени откладывается в жировых депо. Неминуемо развивается ожирение.

Поскольку и гипергликемия, и гиперлипидемия — состояния, как правило, взаимосвязанные, то сахарный диабет и ожирение нередко идут рука об руку. Не случайно тучные люди болеют сахарным диабетом чаще, чем те, у кого масса тела нормальная.

Помимо прочего, потребление избыточного количества сахара нарушает обмен всех веществ в организме, в том числе и белков. При гипергликемии подавляется секреция гормона поджелудочной железы — *глюкагона*, а в условиях его дефицита происходит сбой в расщеплении белков до аминокислот.

Нарушение белкового и углеводного обмена в сочетании с расстройством функций инсулярного аппарата ослабляет защитные силы организма. Подтверждением служат клинические наблюдения, свидетельствующие о снижении иммунитета у больных сахарным диабетом.

Не следует увлекаться сладким еще и потому, что в полости рта сахар становится благоприятной средой для жизнедеятельности бактерий, разрушающих эмаль зубов и вызывающих кариес.

Существует, на первый взгляд, странная связь. У человека, потребляющего почти килограмм сахара в неделю, сахар в крови оказывается ниже нормы. Но если рассмотреть процесс усвоения сахара организмом, то все становится понятно.

Когда человек принимает дозу сахара (допустим, выпивает стакан кока-колы), поджелудочная железа начинает выбрасывать инсулин, понижая уровень сахара в крови и истощая запасы гликогена (источника легкодоступной энергии) в печени, для нормализации вещества в организме.

По мере снижения запаса гликогена печень начинает искать помощь и посылает сигнал в мозг — и вдруг у гипогликогеника появляется сильное желание съесть что-нибудь сладкое. Когда сахар опять попадает в организм, то цикл повторяется. Сахар выступает как настоящий дешевый наркотик.

Доктор *Давид Ребен*, автор книги «Все, что вы всегда хотели знать о питании», пишет: «Белый рафинированный сахар не является пищевым продуктом. Это чистый химический элемент, извлеченный из растительного сырья, — в действительности, он чище кокаина, с которым у него много общего».

Действительно, химическая формула сахарозы — $C_{12}H_{22}O_{11}$. Она состоит из 12 атомов углерода, 22 атомов водорода, 11 атомов кислорода. Химическая формула кокаина — $C_{17}H_{21}NO_4$, а героина — $C_{21}H_{23}NO_5$. Отсюда видно, что единственное отличие формулы сахарозы от формул кокаина и героина состоит в том, что в ней отсутствует азот (N).

Любители сладкого по-своему правы, но с небольшим уточнением. Организму нужен сахар в природном виде, а не рафинированный. Это подтверждается процессом эволюции человека. На протяжении тысяч лет человек жил и развивался без использования рафинированного сахара. Он использовал в пищу фрукты, плоды и ягоды, которые содержат полисахариды, а также все необходимые вещества для их усвоения.

Также хорошо использовать мёд. Он содержит 13—20% воды, 75—80% углеводов (глюкоза — 31%, фруктоза — 38%, сахароза — 1,0%, другие сахара — 9%), золу 0,17%, прочее — 3,38%, витамины B_1, B_2, B_6, Е, К, С, провитамин А — каротин, фолиевую кислоту. Но его тоже надо потреблять в ограниченном количестве (1—3 ч. ложки в день), чтобы не повредить здоровью. Съедаемый в больших количествах натуральный пчелиный мёд, как и другие сладости, ухудшает зрение.

В каких продуктах содержится вредный для здоровья сахар? Моносахариды (простые сахара) содержатся в различных сладостях, сладкой газировке, белом хлебе и различной сладкой выпечке. При их употреблении уровень сахара в крови очень резко повышается. Если он не будет немедленно переработан в энергию, то есть если человек не начнет немедленно испытывать интенсивные физические нагрузки (например, спортивные, или выполнять тяжелую физическую работу), то организм должен будет сам понижать уровень сахара в крови.

Для этого в поджелудочной железе вырабатывается гормон инсулин, способствующий переработке сахара в жировые запасы. Насыщающая способность простых сахаров очень низкая, поэтому чувство голода не утоляется, и человек вынужден есть снова. Избыток инсулина в крови провоцирует снижение уровня глюкозы, что, в свою очередь, является сигналом для мозга — надо срочно поесть. Кроме того, инсулин стимулирует накопление жира.

Надо знать, что в маленькой бутылочке колы, кроме кофеина, содержится несколько чайных ложек сахара. При употреблении этого напитка именно сахар моментально наделяет человека энергией, что происходит благодаря повышению уровня сахара в крови. Но подъем энергии длится короткое время. Выброс инсулина прекращается, уровень сахара тут же понижается, что приводит к значительному спаду энергии и выносливости.

Кстати, сахарозаменители не спасают положение. Они вредны. Я рекомендую единственный естественный заменитель — **стевию.** При регулярном употреблении стевии снижается уровень глюкозы и холестерина в крови, укрепляются кровеносные сосуды. Вообще, она оказывает положительное действие на весь организм:

• стабилизирует обмен веществ, способствуя потере веса;

• снижает содержание сахара в крови у людей, страдающих сахарным диабетом;

• улучшает работу поджелудочной железы;

• нормализует давление;

• повышает энергетический уровень организма;

• уменьшает боль в мышцах после физических упражнений;

• усиливает концентрацию внимания;

• укрепляет капиллярную систему;

• заживляет раны, разглаживает рубцы от свежих ран.

Сегодня диабет своего рода эпидемия, он выходит на первое место по распространенности среди населения разных стран, и врачи не знают, что с этим делать, и объявляют диабет неизлечимой болезнью.

Самое страшное, что при возникновении диабета у детей их сразу начинают лечить с помощью инсулина, превращая жизнь самого больного и его семьи в тяжелую социальную нагрузку. Вот почему я еще раз остановлюсь на теме сахарного диабета.

САХАРНЫЙ ДИАБЕТ

Сахарный диабет (лат. *diabetes mellitus*) — группа эндокринных заболеваний, развивающихся вследствие абсолютной или относительной (нарушение взаимодействия с клетками-мишенями) недостаточности гормона инсулина, в результате чего развивается гипергликемия — стойкое увеличение содержания глюкозы в крови.

Заболевание характеризуется хроническим течением и нарушением всех видов обмена веществ: углеводного, жирового, белкового, минерального и водно-солевого. Все виды диабета сопровождаются такими симптомами, как увеличение глюкозы в крови и повышенным, частым мочеиспусканием.

Диабет считается неизлечимой болезнью, но это состояние, с которым больной может жить полноценной жизнью, соблюдая определенные правила. Раньше известия об этой болезни приводили человека в шоковое состояние: почему это случилось со мной? Возникали страх и депрессия. Сейчас, к сожалению, к такому диагнозу стали привыкать, так как количество заболевших неуклонно растет, и главное, как рассуждают люди, слава богу, что не рак.

Однако диабет очень опасная болезнь, и, если ею не заниматься, она способна привести к тяжелым последствиям, из которых одним из самых страшных является ампутация конечностей, а впоследствии к смерти. От реакции человека, услышавшего диагноз «диабет», в последующем зависит вся жизнь больного: или он воспримет болезнь как вызов себе, изменит образ жизни и справится с ней или, проявив слабость, капитулянтский характер, начнет плыть по течению.

Говоря о диабете, нельзя забывать, что в организме все взаимосвязано и взаимозависимо, и работа поджелудочной железы также зависит от таких составляющих работы организма, как питание, водообеспечение, дыхание, опорно-двигательный аппарат, кровеносная, лимфатическая, мышечная системы.

Вместе с тем, напоив клетки достаточным количеством воды (чего диабетикам всегда не хватает), обеспечив их кислородом и запустив капиллярную сеть с помощью системы физических упражнений, можно добиться существенных результатов в ремиссии инсулиннезависимого диабета (диабет 2-го типа) и значительно облегчить жизнь больного при диабете 1-го типа.

Сахарный диабет — это хронически высокий уровень глюкозы в крови. Если уровень глюкозы в крови превышает так называемый почечный порог, обычно около 10 ммоль/л, то глюкоза появляется в моче.

В подавляющем большинстве случаев развитие диабета связано с неправильным образом жизни. Человек неправильно питается и неправильно двигается и т. д., тем самым нарушая законы физиологии — законы Природы.

Подробнее о диабете читайте в моих книгах, особенно в книге «Диабет». В рамках данной книги-справочника я приведу некоторые рекомендации для диабетиков.

1. Помните, что сахарный диабет никогда не возникает быстро — это результат долгих функциональных нарушений. Например, употребление легкоусвояемых углеводов, в том числе рекламируемых «сникерсов», «марсов», чипсов, «бургеров», искусственных напитков типа кока-колы и др., смешанное питание (одновременное употребление белковой и углеводной пищи), плохое пережевывание и питье любой жидкости во время и после еды, что приводит к быстрому изнашиванию печени и поджелудочной железы в результате снижения переваривания пищи до конечных продуктов.

Недоокисленные продукты превращаются в яды, замедляющие любые биохимические и энергетические процессы, и, накапливаясь в организме в отсутствии достаточного количества воды, выводят из строя все системы организма, в том числе и поджелудочную железу.

2. Строгое соблюдение диеты. Как известно, диабет 1-го типа в большой степени связан с генетикой, а диабет 2-го типа — только с режимом жизни и питанием. Больных диабетом учат, как питаться, и какого режима жизни придерживаться, и как рассчитывать хлебные единицы, помимо приема лекарств.

Но все они, как правило, не придерживаются рекомендованного режима и питания. А зря...

Впрочем, сам рацион не такой уж строгий и «голодный». Некоторые мои пациенты даже жаловались, что им столько и не съесть. Уменьшайте порции, здесь главное исключение вредной (жирной, консервированной, жареной, сдобной) пищи и прием ее в определенное время, чтобы поджелудочная железа правильно функционировала, то есть по своим биологическим часам.

Так, *в течение дня можно есть 3—4 раза, но небольшими порциями, по 500—700 мл (объем желудка). Не допускать никаких перекусов, кроме 1—2 сливы, 1 огурца, 8—10 виноградин, 100 г арбуза или дыни.* Все они содержат 1 хлебную единицу. Все это есть в диете для диабетиков.

Очень важно то, что после легкого ужина позже 19 часов ничего есть нельзя. Вечером можно принять кисломолочные продукты или *зеленый коктейль (из укропа, зеленого лука, ботвы петрушки, редиса, крапивы, листьев плодовых кустов и деревьев и т. п.).* А вот *чистую воду в течение дня надо пить не менее 1,5—2 литров,* но ни в коем случае не во время еды, а после нее через 1,5—2 часа. При жажде после еды рот можно прополоскать водой, но не глотать.

При сохранении сахара на больших единицах врачи советуют сразу переходить на инсулин. Я против этого. Если до перехода на инсулин было нарушение только углеводного обмена, то после добавляется нарушение и жирового обмена. При этом больному все время хочется есть, что приводит к ожирению.

Необходимо также знать, что сам инсулин задерживает воду, в результате чего образуются отеки. Вот поэтому надо пить больше чистой воды, которая на самом деле является хорошим противоотечным средством.

Отказаться или очень ограничить прием животных белков (мясо, рыба, яйца). Хотя, по данным официальной медицины, они не содержат хлебных единиц, но эти продукты обладают сильными кислотообразующими свойствами, и, вполне возможно, они и стали причиной возникновения диабета. Их прекрасно могут заменить зеленые коктейли.

Для приготовления зеленого коктейля надо мелко нарезать зелень, перемешать, взять пучок, положить в блендер, добавить воды (в соотношении 1:3) и полученную смесь активно перемешать. Свежий коктейль пить 2 раза в день. В нем есть все, в том числе и простые аминокислоты, из которых строится собственный белок тела человека. В этом случае животные белки будут не нужны. Зеленые коктейли принимать в течение 5 минут после изготовления, иначе они теряют свои полезные свойства.

Хороший результат для снижения сахара дает прием *куркумы и корицы по 1/2 ч. ложки* утром и вечером до еды.

По средам и пятницам можно *голодать на яблоках и огурцах (2—3 кг) и воде.*

Одним из действенных средств для нормализации сахара в организме при выполнении ранее названных рекомендаций является прием *семян льна.* Промыть, просушить, смолоть в порошок 2 ст. ложки семян, залить 0,5 л кипятка. Кипятить в течение 5 минут, остудить и теплым выпить или съесть, так как настой становится киселеобразным, за 10—15 минут до еды. Остаток шелухи не выбрасывать, его можно съесть, что нормализует работу кишечника. Принимать 1 раз в день. Длительно. Отмечались случаи не только нормализации сахара, но и отказа от инсулина.

Диабетологи рекомендуют больным съедать в день *25 г черного хлеба* (не белого). Почему? В батоне белого хлеба содержится 1200 килокалорий, почти в 2 раз больше, чем в аналогичном по весу количестве запеченной курицы. В чем опасность белого хлеба и изделий из муки высокого помола? В их высоком гликемическом индексе. Из-за него может произойти резкий скачок инсулина, если в организме повышен уровень сахара. Единственное, что есть в белом хлебе, это зародыш, в котором заложена программа развития растения. Чем грубее хлеб, тем лучше, а лучше всего промалывать и есть *пшеничные ростки*.

Всем диабетикам надо *принимать хром и цинк* (есть в аптеках) как средства, улучшающие использование кислорода клетками.

3. Физические упражнения, хотя бы 30 минут в день. Ученые подсчитали, что с малоподвижным образом жизни связано до 50% всех случаев возникновения диабета 2-го типа. При активном двигательном режиме повышается чувствительность организма к инсулину и тем самым облегчается поступление глюкозы в клетки, в связи с чем поджелудочной железе не приходится вырабатывать много инсулина, но главное — удается повысить регенерацию новых бета-клеток. **Помните: движение — это жизнь.**

Как доказано спортивными физиологами, активизация скелетных мышц влечет за собой нормализацию всех обменных, энергетических и биохимических процессов иммунной, эндокринной, сердечно-сосудистой, дыхательной систем и опорно-двигательного аппарата. Необходимо также заметить, что физические упражнения заменить инсулин не могут, а могут только уменьшить его дозы. Постепенно, с увеличением физической нагрузки у лиц, страдающих диабетом, особенно 2-го типа, исключаются все факторы дальнейшего развития диабета и его осложнений, а затем происходит ремиссия.

Не забывайте об упражнениях для ног! Ноги — одно из самых уязвимых мест для диабета. Не менее важно знать, что если диабетик не занимается в течение суток *физическими упражнениями* (в том числе ходьбой не менее часа), то никакое лечение результатов не дает. Дело в том, что мышцы должны быть в определенном тонусе: их напряжение и расслабление влияют на расположенные в них сосуды, благодаря чему кровь может поступать в клетки даже без инсулина. *Вечером надо отказаться от просмотра телепередач, гулять на свежем воздухе и ложиться спать не позднее 23 часов.*

4. Водообеспечение организма. У диабетиков всегда наблюдается жажда, то есть недостаточность воды в организме. Зависимость мозга от сахара вызывает приятные ощущения от сладкого. Если в крови мало сахара, печень начинает его вырабатывать вначале из крахмала, потом из белков, а затем из жиров.

При мышечной активности с помощью *энзимов* — гормонов чувствительной липазы — жиры, расщепляясь, образуют сахар, идущий на энерготраты. *Вот почему мышечные нагрузки должны быть обязательным условием жизни диабетиков.* Эти энзимы одновременно очищают сосуды от жировых отложений.

Если человек находится в состоянии гиподинамии, но работает в усиленном режиме или стрессе, он считает, что для компенсации нехватки энергии надо потреблять калорийную пищу. Но при этом только 20% питательных веществ и глюкозы достается мозгу, остальные достаются клеткам организма или откладываются про запас. Теперь вам понятно, почему человек набирает лишний вес?

Если, вместо того чтобы есть, вы будете принимать подсоленную воду, устраняющую чувство голода до 60 минут, вы постепенно будете терять вес лучше, чем при соблюдении диет.

Приемом воды за 15—20 минут до еды мы предотвращаем повышение концентрации крови, которая поглощает необходимую ей воду из близкорасположенных клеток. Когда запас воды истощается, в расход идет энергия, хранящаяся в запасах кальция в клетках и костях. При этом одна молекула кальция, отделяясь от другой, высвобождает одну молекулу АТФ, за счет чего и образуется энергия.

Когда вода и кальций потребляются в достаточном количестве, необходимость в высвобождении энергии, хранящейся в резервах кальция, отпадает. Поэтому кости являются отличным источником энергии.

Воду можно или подкислять (лимон, яблочный уксус) или при приеме каждого стакана воды брать в рот 2—3 кристалла крупной морской соли.

Человеческий организм обладает очень тонким механизмом абсорбции элементов, в результате чего в него попадает не весь кальций. Надо только ограничить жирную и жареную пищу.

Жирные кислоты заменяют аминокислоту — триптофан, который, соединяясь с альбумином, образует свободный триптофан, более 20% которого разрушается в печени. Но есть две основные жирные кислоты, которые в организме синтезироваться не могут. Это альфа-линолевая кислота, известная как *омега-3*, и линолевая кислота — *омега-6*, которые участвуют в производстве клеточных мембран, гормонов и эпинервия (наружной оболочки нерва). Богатейшим источником этих кислот является *льняное семя* и *подсолнечное нерафинированное масло*. Следует обратить внимание на то, что при нарушении работы почек при приеме воды надо быть особенно осторожным и **не отказываться от лекарств.**

При диабете инсулин перестает проталкивать воду в клетки, вследствие чего они обезвоживаются, а выделение инсулина уменьшается. При диабете 2-го типа длительный дефицит воды приводит к тому, что такое химическое вещество, как *простагландин Е*, один из заместителей гистамина, отвечающего за распределение воды в организме, подавляет бета-клетки поджелудочной железы.

Если простагландина Е в крови остается много, он, в свою очередь, активизирует гормон *интерлейкин-6*, который, проникая в ядро клетки, производящей инсулин, постепенно расчленяя каркас ДНК/РНК в ядре клетки, лишает ее возможности нормального функционирования, вызывая необратимые изменения, а затем это осложнение распространяется на другие органы и, в первую очередь, вызывает расстройство сердечно-сосудистой системы: ретинопатии, гангрены конечностей, кистозные образования в печени, почках, мозгу и в самой поджелудочной железе.

Дефицит воды в организме также сказывается на выработке поджелудочной железой *бикарбонатов*, нейтрализующих излишнюю кислоту желудочного сока, поступающую в двенадцатиперстную кишку из желудка. Недостаток инсулина в организме перестает стимулировать раскрытие пор клеток, через которые в них должна поступать вода и необходимые вещества, в результате чего клетки начинают уменьшаться в размерах и даже умирать. Кислота, накапливаясь в двенадцатиперстной кишке, вызывает резкое сокращение привратника — жома между кишкой и желудком, что в дальнейшем приводит к образованию язв.

5. Диета на основе гречневой крупы. Известно, что все каши — это углеводные продукты, но из них только гречневой отдается предпочтение при сахарном диабете, и вот почему. Основной продукт переработки гречихи — крупа различного вида, биохимический состав которой определяет не только высокую питательность, но и лечебную силу этого продукта. Греча принадлежит к числу тех продуктов, которые будто бы специально созданы для оздоровления и очищения организма, и это помимо ее уникальной питательности!

Известно, например, что греча богата белками. Насколько важны белки для организма? Ответ на этот вопрос становится автоматическим, если вспомнить, что белки называют «носителями жизни». В свою очередь, биологическую ценность белков определяют 10 незаменимых аминокислот, не синтезируемых организмом человека, а поставляемых с пищей. Так вот, по содержанию двух из этих незаменимых аминокислот — *лизина* и *метионина* — белок гречихи превосходит все крупяные культуры. Всего же в гречишном белке 18 аминокислот, среди которых *цистин* и *цистеин* усиливают очищение организма от шлаков и радиоактивных веществ, а *гистидин* способствует нормализации роста у детей.

Гречишный белок также содержит легкорастворимые фракции — *альбумины* и *глобулины*, определяющие его высокую, до 78%, усвояемость. Биологическая полноценность белка гречихи приближается к белку куриного яйца и сухого молока, как наиболее сбалансированных и ценных. Интересно, что на накопление (до 12—18%) растением белка положительно влияет наш степной климат с его сухим воздухом и высокий уровень инсоляции, то есть степень облучения поверхности земли солнцем.

В углеводном комплексе гречихи преобладают легкоусвояемые сахара: *фруктоза*, *глюкоза* и другие энергетические вещества. Они обеспечивают отличные вкусовые качества продуктов из гречки, особенно в сочетании с жирами, отличающимися стойкостью к окислению: при длительном хранении гречневая крупа не прогоркает, как другие крупы, и не плесневеет при повышенной влажности.

С гречневой кашей в организм человека поступают и полезнейшие минералы — фосфор, кальций, железо, марганец, цинк, медь. Кстати, медь вместе с железом участвует в кроветворении и образовании *гемоглобина*, лечит анемию. Цинк, как известно, обеспечивает нормальное усвоение множества веществ, особенно при повышенной радиации.

Органические кислоты гречихи — *малеиновая, лимонная, линоленовая, щавелевая* — улучшают пищеварение, особенно при заболеваниях желудочно-кишечного тракта.

Биологически активные вещества, также в разнообразии представленные в гречихе, обеспечивают качественный обмен, рост и восстановление клеток и тканей организма. Это такие вещества, как *фосфолипиды, токоферолы, пигменты и витамины.* Кстати, что касается последних, то по содержанию витаминов РР (никотиновой кислоты), B_1 (тиамина), B_2 (рибофлавина), Е (токоферола) гречиха превосходит другие крупы.

Вне конкуренции гречиха и по наличию витамина Р (рутина). А именно рутин уменьшает проницаемость и ломкость кровеносных сосудов, сокращает время свертываемости крови, усиливает сокращение сердечной мышцы, способствует накоплению в организме витамина С, оказывает благотворное влияние на щитовидную железу. Он помогает при лечении лучевой болезни, гипертонии, сердечной недостаточности, сахарного диабета, ревматизма, токсикоза беременных, нефрита, бактериальных и вирусных болезней, некоторых кожных заболеваний, а также обморожений и ожогов. Между прочим, было бы ошибочным считать, что в гречихе полезно лишь зерно. Так, рутином богаты все части растения: и ростки, и стебель, и цветки, и зерна.

В народе гречу всегда уважали, недаром до наших дней дошла поговорка: «Гречневая каша — матушка наша». Благодаря своей высокой питательности греча издавна считалась в России основой солдатской пищи: немного поел — и сыт, и не нужно тащить в походе лишние килограммы.

Гречневая диета рассчитана обычно на 1—2 недели, и потом следует сделать перерыв хотя бы на месяц. Соблюдение такой диеты помогает избавиться в среднем от 4—10 кг за 1—2 недели, при этом организм не испытывает «голодного» стресса и постепенно переходит на другой режим работы.

Гречневая крупа для этой диеты готовится следующим образом:

Взять такое количество крупы, как при обычной варке, залить крутым кипятком и поставить настаиваться на ночь. Варить гречу не надо!

На следующий день гречу можно есть, например, с кефиром 1%-ной жирности. Соль и специи не использовать. Съесть гречи можно за один прием до 200 г, а вот кефира можно выпить не более 1 литра в сутки. Нежелательно, но можно добавить 1—2 маложирных йогурта или пару фруктов. Нельзя есть за 4—6 часов до сна, то есть не позднее 19 часов (некоторые считают, что не позднее 18 часов), если голодно, за 30— 60 минут до сна можно выпить 1 стакан кефира, наполовину разбавленного водой.

6. Кроме того, при диабете советую делать аппликации с кашицей из хрена. *Хрен надо* *измельчить и смешать с небольшим количеством воды для получения однородной массы. На область позвоночника чуть ниже поясницы и немного вверх до ребер положить марлю и размазать по ней полученную массу шириной 6— 10 см, накрыть клеенкой и положить сверху одеяло.*

Начнется сильный разогрев, необходимо терпеть, сколько можно, но не доводить до ожога. После завершения процедуры надо снять марлю с хреном. Ее можно использовать повторно, если положить в холодильник. Процедуру надо повторить через 2 дня на 3-й, общее количество процедур 5—7. Через месяц аппликации можно повторить.

7. Хочу предложить еще вот такой настой от диабета. Взять корень хрена 15—20 см. Вымыть. Не очищать. Натереть на терке. Одну головку чеснока раскрошить. Все залить 1 литром любого пива, выдержать 12 дней в темном месте, периодически встряхивая. Процедить через марлю. Первые 2 дня принимать перед едой по 1 ч. ложке 3 раза в день. Затем по 1 ст. ложке. Пока не закончится жидкость. Через месяц можно повторить. Удивительный рецепт.

8. Желуди являются достаточно эффективным средством при сахарном диабете. Прием желудей осуществляется следующим образом: 1—2 желудя смолоть на кофемолке до порошка и принимать сразу же, запивая водой. Не есть в течение 15 минут. Утром это делать до завтрака, вечером — через час после ужина. Каждый раз изготавливается свежая порция.

ИСПОВЕДЬ ДИАБЕТИКА

Я понимаю, как убедительны бывают свидетельства выздоровевших когда-то больных людей, поэтому решил и в данном справочнике привести рассказ одной из своих бывших пациенток. Стиль и орфография автора сохранены.

Вначале жизнь складывалась хорошо: счастливый брак в 1985 году, рождение дочери в 1986 году, а потом в жизни все перевернулось — случился Чернобыль. Что пришлось пережить, трудно описать, достаточно того, что в организме находили различные нарушения, начались проблемы со здоровьем. Вскоре жизнь кое-как наладилась, но вес стал под 90 при росте 170 см.

Жила с ограничениями, спасалась, если можно так сказать, лекарствами до 50 лет, и тут случайно обнаружился диабет 2-го типа, что добавилось к моему постоянному недомоганию, разбитости. Сахар крови доходил до 20 единиц. Первыми словами эндокринолога были: «Ваша болезнь неизлечима, будете пить таблетки до конца жизни, соблюдать строгую диету — и добавила: Еще ни один человек в мире не излечился от диабета».

После этих слов я уже ничего не слышала, не понимала, у меня началась истерика. От стационара я отказалась, так как у меня через два дня начиналась путевка в санаторий. Подумала: там снова сделают анализы, и, может быть, у меня нет никакого диабета. В санатории все подтвердилось, и врачи мне объяснили, что с такой болезнью многие живут при соблюдении диеты и режима дня. Врач назначила таблетки и сказала, в ее практике были случаи и излечения от диабета. Немного успокоилась и подумала, а чем я хуже того человека.

Начала принимать таблетки топинамбура, ванны, массаж, долго ходила. Ограничения в еде не было, и ее запивала во время и после еды компотом, водой. Так как мне говорили, что, когда хочется есть, надо покушать, и делала это даже ночью.

После санатория стала искать все, что касается лечения диабета, и случайно наткнулась на перекись водорода. На яндексе нашла данные о Неумывакине Иване Павловиче и решила во чтобы то ни стало его найти. Помнила, что если хочешь чего-то добиться, то все так и будет; и что вы думаете, ведь я нашла Ивана Павловича. Так я попала в его центр в городе Балашиха.

Здесь я узнала все особенности о диабете: почему нельзя есть животные белки, почему нельзя есть после 19 часов, почему нельзя пить воду во время и после еды и почему ее надо пить за 10—15 минут до и только через 1,5—2 часа после еды, а натощак пить не меньше 1,5—2 литров, и то только чистой воды, что надо есть помалу и не делать перекусов минимум в 4 часа, а в это время, если хотите есть, надо пить воду.

После очистки организма сахар стал вместо 12—15 единиц — 6—7, это было в январе месяце 2012 года. Прошло больше 1,5 года, сахар у меня в норме, правда, гликированный сахар вместо 5 в норме у меня 6—7, но, как мне объяснил Иван Павлович, ничего страшного нет. Из питания в основном грубые каши, орехи, овощи, грибы, фрукты. Так как у нас свой огород, то все, что там растет: петрушка, укроп, сельдерей, лук, чеснок, свекла, морковь, топинамбур, — все шло в овощные супы, на стол, включая листья крапивы, одуванчика, сныти, смородины, чистотела.

В каждый стакан выпиваемой воды капала по 10—15 перекиси водорода, а утром и вечером в стакан горячей воды насыпала 1 ч. ложку соды и пила натощак за 15—20 минут до еды, много двигаюсь на огороде, а вечером просто прогулка 1—2 км.

За эти 1,5 года вес снизился до 60 килограммов. Конечно, сейчас я себя чувствую здоровой, но врачи, несмотря на анализы, не верят, что справилась с диабетом. Прав Иван Павлович, что болезней нет, а есть состояния, которые можно при желании и умении исправить. Не вреди своему организму. Врачам я говорю: делайте, что пишет в своих книгах Неумывакин, на моем примере помогайте больным; отвечают — нас просто уволят, а вы для нас не пример. Отвечаю: ведь вы говорили, что диабет неизлечим, а я же вот стою перед вами, и у меня сахар в норме, и я считаю себя здоровой.

...Все проблемы со здоровьем и последствиями Чернобыля, а это нарушения нервной системы, сердечно-сосудистой системы и обмена веществ, у меня все в прошлом. Я нашла выход из, казалось бы, безвыходного положения. А вам кто мешает это делать? Здоровье, как говорит Иван Павлович, — это такая же работа, как и все остальные, если не более важная, и перекладывать ее на других, оказывается, себе дороже.

Здоровье вам самому, Иван Павлович, и всему коллективу «Адониса».

Нина К. Мценск — Балашиха.

ПРАВИЛЬНОЕ ПИТАНИЕ:
И БУДЕТ ПИЩА ЛЕКАРСТВОМ

Как вы поняли из предыдущей главы, ВКР допустил ошибку, не изменив строение ЖКТ человека. Если говорить кратко, не вдаваясь в подробности, то внутренние органы человека расположены очень компактно, каждый занимает определенное место, и все вместе они дружно работают. Единственное исключение — желудок, объем которого у взрослого человека 500—700 мл. Из-за переедания желудок увеличивается в 1,5—2 раза и смещается вниз, мешая другим органам.

Как известно, пищеварительная система — это конвейер, и каждая ее часть (цех) выполняет определенную работу. Ротовая полость — это дробильный цех, где пища должна быть тщательно пережевана. Затем пища попадает в другой цех. В желудке, в свою очередь, вырабатывается желудочный сок, который участвует в переваривании пищи. Если незначительная часть кислого желудочного сока попадет в двенадцатиперстную кишку, то там он нейтрализуется с помощью желчи и сока поджелудочной железы. В дальнейшем переработка пищи не представляет никакой сложности для пищеварительного тракта.

Говоря об особенностях работы тонкого кишечника, следует сказать, что в нем находится своего рода холодный термоядерный реактор, благодаря которому в организме происходит синтез веществ, поступающих с пищей.

В жизни все происходит с нарушением работы пищеварительного тракта. Известно, что организм здорового человека должен содержать не менее 75% воды, с возрастом количество воды уменьшается до 60%. В крови при этом должно быть не меньше 92% воды. На все биохимические, энергетические реакции организм расходует не менее 1,5 л жидкости, которая должна быть восполнена. Этого, как правило, не происходит. Дело в том, что в клетку попадает только чистая вода. Любые напитки — информационно грязные, чтобы их очистить, мембраны клеток должны проделать значительную работу, со временем это приводит к засорению клеток и нарушению их работы.

Постоянное переедание приводит к тому, что желудок опускается вниз. В результате пища не может нормально перевариться, она бродит и гниет, постепенно загрязняя весь пищеварительный тракт недоокисленными продуктами.

Наблюдательные ученые отмечают, что при переедании треть съеденной пищи идет на восполнение питательной ткани, треть — на удаление отходов... и еще треть обеспечивает работой врачей.

Одобренный официальной медициной прием воды во время и после еды приводит к уменьшению концентрации желудочного сока, который не может качественно переработать пищу, кроме того, часть его поступает в двенадцатиперстную кишку и другие органы желудочно-кишечного тракта.

Плохо переработанная пища усиливает напряжение всей пищеварительной системы, в результате чего в организме образуются шлаки, которые засоряют всю систему и приводят к образованию каловых и других камней. Остатки пищи становятся причиной возникновения различных заболеваний. В частности, нарушается работа тонкого и толстого кишечника, в котором спроецированы точки всех органов и систем организма. По моему мнению, именно от этих точек и зависит наше здоровье.

М. Н. Амосов недаром подчеркивал, что отходы от съеденной нами пищи не должны иметь никакого запаха. Вот почему «помойное ведро» должно быть всегда чистым, тогда вы сможете избавиться от многих проблем со здоровьем.

Картина состояния здоровья членов современного общества пока не очень радостная: уровень здоровья населения очень низок. Растет число онкологических заболеваний. И Москва, и Санкт-Петербург не только являются лидерами по этим заболеваниям в России, но и находятся в первой десятке самых неблагополучных в онкологическом отношении городов мира. Не лучше обстоит дело с сердечно-сосудистыми заболеваниями. С чем это связано? Вот о чем говорят результаты научных исследований.

Лишь 5% болезней возникают от недостаточности медицинского обслуживания (как видите, не медики виноваты в том, что мы болеем, больше виноваты мы сами, так как мало или неправильно занимаемся своим здоровьем).

25% — от экологии (поэтому нужно чаще выезжать за город, учитывать геопатогенные зоны при приобретении жилья, стараться защитить свой организм от вредных воздействий).

20% — это генетический фактор (наследственность).

50% причин болезней могут быть устранены *за счет здорового образа жизни и рационального питания* (то есть многое находится в наших руках — это уже обнадеживает!).

Вышеприведенные цифры говорят о том, что мы действительно можем избежать многих заболеваний, в том числе онкологических.

Основные правила питания были сформулированы еще *Гиппократом*, который высказал мысль, что пища должна быть лекарством и, наоборот, лекарства надо подбирать в первую очередь среди натуральных пищевых продуктов. Эти правила таковы:

• не есть, чувствуя сытость;

• пить достаточное количество чистой воды;

• избегать излишеств, воздерживаться от многообразия кушаний за одним обедом;

• вставать из-за стола, не наедаясь досыта;

• съедать на ужин что-нибудь легкое;

• каждые 10 дней по разу поститься, дабы дать покой организму;

• не спать после обеда; никогда не выполнять физическую работу вскоре после обеда, ибо она тогда столько же нездорова, сколько бесполезна.

При соблюдении приведенных правил уже значительно увеличится возможность поддержания организма в оптимальном состоянии.

По данным антропологов, рацион древнего человека состоял на 1/3 из нежирного мяса диких животных и на 2/3 из растительной пищи. В этих условиях питание носило исключительно *щелочной характер.*

Ситуация принципиально изменилась с возникновением аграрной цивилизации, когда человек стал употреблять в пищу много зерновых культур, молочные продукты и жирное мясо домашних животных. Но особенно драматические сдвиги в питании произошли в конце XX века, когда рацион заполонили промышленно обработанные кислотные продукты питания.

Рацион современного человека богат насыщенными жирами, простыми сахарами, поваренной солью и беден клетчаткой, магнием и калием. В нем доминируют рафинированные и обработанные продукты, сахар, мучные изделия, множество всяких полуфабрикатов. Это пицца, чипсы, глазированные сырки, новоявленные чудо-молочные продукты, кондитерские изделия, прохладительные сладкие напитки. Эта пища имеет кислые валентности.

Организм постоянно стремится уравновесить кислотно-щелочной баланс, поддерживая строго определенный уровень pH. Но, к сожалению, не справляется и зашлаковывается. Поэтому ему надо помочь. Ваш рацион должны составлять 1 часть кислых продуктов, а 3 части — щелочных; 57—59% калорий ежедневного рациона должны поставляться за счет употребления углеводов (овощи, фрукты, злаки), 13% должны составлять белки, 30% — жиры.

Рекомендуется:

• уменьшая количество потребляемых животных жиров, отдавать предпочтение легко- или полиненасыщенным растительным маслам, сокращать потребление сахара;

• увеличить содержание в рационе разнообразных свежих овощей и фруктов;

• снизить потребление мяса, заменить его рыбными и соевыми продуктами;

• уменьшить потребление соленых, копченых и консервированных продуктов;

• избегать переваренной, подгоревшей пищи, искусственно окрашенных продуктов;

• увеличить применение антиоксидантов;

• обеспечить организм необходимыми витаминами и микроэлементами;

• принимать пищу при наличии чувства голода (это не касается случаев сильного истощения и т. п.). Пищу нужно тщательно пережевывать. Ужинать рекомендуется не позже чем за 2 часа до сна;

• правильно сочетать продукты; особенно вредно комбинировать фрукты с крахмалом или белками, разные виды белков, крахмальную пищу с белками;

• избегать употребления очень горячей или холодной пищи.

А как быть с праздниками, встречами с друзьями? Да все очень просто: откушайте чем бог послал, чтобы об этих событиях осталось приятное воспоминание. Если человек получает сбалансированное питание с включением необходимых витаминов, антиоксидантов и микроэлементов, иногда этого бывает достаточно на фоне здорового образа жизни для введения организма в зону здоровья, и тогда вероятность развития заболеваний существенно снижается.

Что касается состава пищи, оптимального рациона, то, по последним данным, для решения задач обеспечения организма энергией вопрос нужно рассматривать сугубо индивидуально. Если человек имеет избыточный вес, то калорийность пищи надо уменьшать. Но в целом 2/3 питания должны составлять овощи и фрукты. Желательно ежедневную порцию овощей и фруктов разбить на пять приемов, к примеру: утром — 1 яблоко, до обеда — 2 морковки, потом вы съедите плошку квашеной капусты, затем — грушу, вечером — банан.

Обязательно надо вводить в рацион крупы. Больше всего положительного написано о грече (особенно рекомендуется для профилактики рака и для онкологических больных) и пшене (носитель цинка, имеющего большое значение для поддержания иммунитета и для зрения). Естественно, всевозможных колбас, копченостей, маринадов следует избегать.

Как на практике придерживаться указанного баланса кислотных и щелочных продуктов? Возьмем простой пример. Опять с мясом. Чтобы нейтрализовать его отрицательное воздействие на организм (то есть закисление), надо на 50—100 г мяса съесть не меньше 150—300 г растительной пищи, например, тушеных овощей или зелени. Приведу названия популярных продуктов, обладающих кислотообразующими и щелочными свойствами (табл. 1).

Указанные кислотные продукты, закисляя внутреннюю среду организма, кровь, весь «жидкостный конвейер», приводят к более напряженному протеканию всех биохимических и энергетических процессов, тем самым ускоряют появление различных, вначале функциональных, а затем и патологических изменений.

Кислотные и щелочные продукты

Кислотные	Щелочные
Белый хлеб	Арбуз
Вина сухие	Бананы
Вода водопроводная	Гвоздика
Водка	Гречка
Клюква	Дыня
Лимон	Зелень (ботва, листья)
Молоко жирное	Имбирь
Молоко пастеризованное	Инжир
Мясо	Капуста
Мясо белое	Капуста цветная
Пиво	Картофель
Рыба	Масло кукурузное
Сахар, карамель	Масло оливковое
Сок лимонный	Масло соевое
Соль	Мёд
Сыр	Молоко низкой жирности
Уксусная эссенция	Морковь
Черный кофе, чай, какао	Перец черный и красный жгучий
Щавель	Проросшая пшеница
Яйца	Свекла
	Тыква
	Финики
	Хурма
	Шоколад

Кроме щелочных продуктов, приведенных в таблице, не снижают водородный показатель все остальные *крупы, мука грубого помола и злаковые, съедобные грибы всех видов, топинамбур, любые фрукты.*

Кислотные и щелочные продукты отличаются по составу. В животной пище преобладают кислые минералы (фосфор, хлор, сера и др.) и полностью отсутствуют органические кислоты. В растительной же пище, в которой содержится очень много органических кислот, преобладают такие щелочные элементы, как кальций, магний, калий, кремний и др.

Употребление в пищу кислотных продуктов приводит к закислению организма, а значит — к заболеваниям суставов, костей, мышц, глаз, сердечно-сосудистой, легочной и нервной систем, депрессии, боли в области сердца, аритмии, болезни Паркинсона, рассеянному склерозу, различным видам рака и др. Закислению организма способствуют крепкий чай, кофе, все газированные напитки, минеральная вода (кроме щелочной), все химические лекарственные препараты и даже ненормативная лексика (ругательства). Все это вносит в воду, из которой в основном состоит тело человека, энерго-информационную «грязь».

С возрастом особенно необходимо ограничить употребление животных белков: мяса, рыбы — до 1—2 раз в неделю, яиц — до 10 шт. в неделю (причем предпочтительнее перепелиные яйца, по 3—5 шт.). При любых заболеваниях и после 40—50 лет (за редким исключением) вообще следует отказаться от животных продуктов. Из пищи лучше исключить жареное, копчености, очень соленое.

Что касается жиров, то надо отдавать предпочтение топленому сливочному маслу и свиному салу. Растительное масло употреблять нерафинированное и только в свежем виде, при термической обработке оно теряет все, что было в нем полезного.

Лучше ограничить или полностью исключить кондитерские изделия и хлебобулочные изделия из муки высокого помола (белые сорта), рафинированные продукты: сахар, конфеты, газированные напитки (кока-кола, лимонад и др.).

Надо также уменьшать объем съедаемой пищи. Мы едим слишком часто и помногу, и ЖКТ не успевает переваривать съеденное. Едим то, что нам вредно, подвергаем продукты тепловой обработке (варим и жарим), наедаемся на ночь. Не зря умные люди заметили, что *«человек ест слишком много; для того, чтобы жить, ему хватило бы и 1/4 того, что он потребляет. Остальные 3/4 расходуются на то, чтобы дать работу врачам»*.

Благодаря физиологическому строению человек ближе к травоядным, чем к хищникам. Но соотношение продуктов растительного и животного происхождения должно быть 3—4:1.

Что касается такого фактора правильного питания, как *поддержание хлорида натрия (соли)* в крови, то это связано со следующим: существуют такие элементы, как натрий, отвечающий за водно-солевой обмен вне клетки, и калий, отвечающий за обмен и энергетику в клетке. Их соотношение должно быть друг к другу как 3:1. Но опять в результате сложившейся ситуации с приемом пищи это соотношение меняется с точностью до наоборот.

При увеличении количества калия в крови, чтобы его удалить из клетки, туда поступает больше воды. Клетка отекает, что сказывается на всем теле, способствует вязкости крови, тромбообразованию, что увеличивает нагрузку на сердечно-сосудистую систему (инфаркты, инсульты), нарушению микроциркуляции, особенно в головном мозге и глазах, задержке передачи нервных импульсов, а также спазму мышечных волокон, появлению синдрома судорог икроножных мышц.

При содержании хлорида натрия (соли) в крови концентрацией 0,9% происходит дезинфекция всего того, что попало в кровь, разжижение крови (предотвращение тромбообразования), устраняются бляшки на сосудах, уничтожаются отмершие клетки, в том числе онкологические. К натрийсодержащим продуктам относятся все кислотообразующие продукты, а к продуктам, содержащим калий, все щелочеобразующие.

Следует сказать, что во всех продуктах есть калий и натрий, но они отличаются по величине показателя того или иного элемента. Что же получается? С одной стороны, белковая пища (мясо, рыба и др.) закисляет организм. Это плохо. А с другой стороны, она содержат больше натрия и калия — это хорошо.

Как же тогда питаться? Дело в том, что все белковые продукты требуют большой концентрации желудочного сока в желудке, часть которого идет на переработку продуктов, а часть идет на поддержание концентрации 0,9% хлоридов в крови (соли).

Углеводная и растительная пища в желудке подвергается только дезинфекции, на что требуется не очень большая концентрация желудочного сока, а ее переработка происходит в кишечнике. Вот почему при употреблении углеводной, растительной пищи желудочного сока всасывается в кровь недостаточно, его концентрация понижается со всеми вытекающими последствия.

В народе есть такая поговорка: «Завтрак съешь сам, обед раздели с другом, а ужин отдай врагу». Это действительно так. После 18, максимум 19 часов, вы должны съесть умеренную по объему пищу (500—700 г) — можно выпить стакан кефира или съесть одно яблоко — и больше ничего. В 21 час желудок и поджелудочная железа значительно снижают активность. А дневной гормон — инсулин — передает эстафету ночному — мелатонину, который начинает работать с 21 часа. Вот почему вы должны ложиться спать в это время.

От мелатонина, гормона роста (мы растем только во сне), зависит наш сон, работа разных систем по устранению образовавшихся в организме шлаков, то есть наведение в нем порядка. Вот почему говорят, что утро вечера мудренее.

Закислению организма способствуют и такие особенности образа жизни человека, как малоподвижность, стресс, курение, алкоголь, а также пессимизм, агрессивность, зависть, ревность, склочность. Позавидовали, поругались, расстроились — состояние ухудшилось, что-то заболело. Вот и делайте выводы...

РАЗДЕЛЬНОЕ ПИТАНИЕ

Условно нашу пищу можно разделить на три группы:

• **Белки:** *мясо, рыба, яйца, молоко, бобовые, бульоны, грибы, орехи, семечки.*

• **Углеводы:** *хлеб, мучные изделия, крупы, картофель, сахар, варенье, конфеты, мёд.*

• **Растительная пища:** *овощи, фрукты, соки.*

Следует сказать, что все указанные продукты, кроме рафинированных, прошедших специальную обработку, в которых отсутствуют клетчатка и практически все полезное, имеют и белки, и углеводы, только все зависит от их процентного содержания. Так, например, в хлебе есть и углеводы, и белки, так же как и в мясе. В дальнейшем речь будет идти преимущественно о белковой или углеводной пище, *где составляющие продукта находятся в их естественном равновесии.*

Углеводы начинают перевариваться уже в ротовой полости, белки — в основном в желудке, жиры — в двенадцатиперстной кишке, а растительная пища — только в толстом кишечнике. Причем углеводы в желудке также задерживаются сравнительно недолго, так как для своего переваривания требуют значительно меньше кислого желудочного сока, ведь их молекулы более просты по сравнению с белками.

Белки же из-за сложности пептидных связей, для того чтобы они переработались организмом до конечных продуктов, должны вначале отщепить азот, на что идет очень много энергии, до 60% и более, что усугубляется термической их обработкой.

При раздельном питании ЖКТ работает следующим образом. Тщательно пережеванная и обильно смоченная слюной пища создает слабощелочную реакцию. Затем пищевой комок поступает в верхний отдел желудка, в котором через 15—20 минут среда меняется на кислую. С передвижением пищи к пилорическому отделу желудка pH среды становится ближе к нейтральному. В двенадцатиперстной кишке пища в минимум времени за счет желчи и поджелудочного сока, имеющих резко выраженные щелочные реакции, становится слабощелочной и в таком виде поступает в тонкий кишечник. Только в толстом кишечнике она снова становится слабокислой.

Этот процесс проходит особенно активно в том случае, если вы за 10—15 минут до приема основной пищи выпили воды и съели растительную пищу, которая обеспечивает оптимальные условия для деятельности микроорганизмов в толстом кишечнике и создания там кислой среды за счет содержащихся в ней органических кислот. При этом организм работает без какого бы то ни было напряжения, так как пища однородна, процесс ее переработки и усвоения проходит до конца. То же самое происходит и с белковой пищей.

Теперь такой важный момент работы ЖКТ, как **своевременная дефекация (опорожнение) и запоры**. Считается, что одного раза для опорожнения кишечника в сутки вполне достаточно, не только люди, но и врачи, которые даже испражнения 2—3 раза в неделю считают нормой. Но ведь мы едим три, а то и больше раз.

До поры до времени организм со всеми этими задержанными нечистотами как-то справляется, а потом отходы все больше задерживаются в толстом кишечнике, начинают там гнить, бродить, выделять яды, изменять микрофлору кишечника.

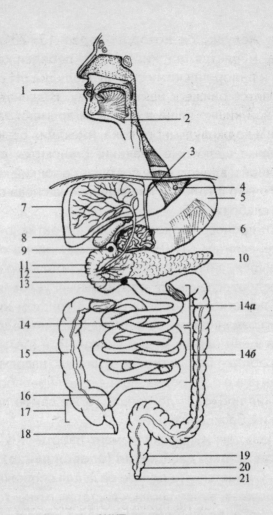

ЖКТ человека:

1 — рот; 2 — слюнные железы; 3 — пищевод; 4 — кардиальный клапан; 5 — желудок; 6 — сердечная круговая мышца; 7 — печень; 8 — желчный пузырь; 9 — пилорический сфинктер; 10 — поджелудочная железа; 11 — фатеров сосочек; 12 — двенадцатиперстная кишка; 13 — дуоденоеюнальный клапан; 14 — тонкая кишка; 14*а* — тощая кишка; 14*б* — подвздошная кишка; 15 — ободочная кишка; 16 — илеоцекальный клапан; 17 — слепая кишка; 18 — аппендикс; 19 — прямая кишка; 20 — заднепроходный канал; 21 — заднепроходный сфинктер

В верхней части толстого кишечника имеются железы, которые с помощью колибацилл вырабатывают смазку, обеспечивающую нормальное прохождение кишечной массы к выходу. Существующая там физиологическая микрофлора предотвращает развитие токсических веществ и их нейтрализацию, ведь именно в толстом кишечнике скапливаются отжившие белковые частицы, и их ежедневно набирается до 500 г, и если они там задерживаются вместе с каловыми массами, то благодаря жидкостному конвейеру вся эта гниющая масса распространяется по всему организму, зашлаковывая и закисляя его. А это, как вы уже знаете, болезни, в том числе рак толстой кишки, который сейчас набирает обороты.

Отмечается, что в случае нарушения акта дефекации, то есть при запорах, у пациентов возрастает риск возникновения рака в 4—5 раз больше, чем у тех, у кого запоров нет. Получается, что толстая кишка — самая важная часть организма, и она должна безупречно работать и быть самой чистой, в противном случае все, что происходит с вашим здоровьем, это дело ваших собственных рук.

Результатом загрязнения может стать любое заболевание, включая онкологическое. Это объясняется тем, что все ткани питаются кровью, а саму кровь питает кишечник, вот почему засоренный кишечник через кровь отравляет весь организм. Вот поэтому в первую очередь надо позаботиться о чистоте всего кишечника, затем печени, чтобы лечение заболевания было эффективным.

Практика народных целителей показывает, *что очистка ЖКТ может заменить существующие виды лечения, но даже все виды лечения не заменят очистку кишечника, суставов, выделительную, кровеносную (дренажную) системы.*

ЖКТ — это комплексная система, включающая:

• более 500 видов нормальной физиологической микрофлоры, ответственной за переработку и синтез биологически активных веществ и разрушение (вредной) патогенной микрофлоры;

• 3/4 всех элементов иммунной системы, ответственной за то, чтобы в организме был порядок и все знали, кто ее хозяин;

• более 20 собственных гормонов, от которых зависит вся деятельность ЖКТ, и связанных со всей гормональной системой;

• брюшной мозг — это своего рода корневая (солнечное сплетение) система, от функционального состояния которой зависит любой процесс, происходящий в организме, и взаимосвязь с головным мозгом;

• ферментную систему, ответственную за ускорение и проведение биохимических, энергетических процессов, лежащих в основе жизнедеятельности организма, и его связь с внешней средой;

• органы, отвечающие за выведение из организма отработанных вредных веществ и многое другое.

Причины **зашлакованности организма** — это:

• консервированная, рафинированная, жареная пища, копчености, сладости, для переработки которых требуется очень много кислорода, из-за чего организм постоянно испытывает кислородное голодание (например, раковые опухоли развиваются только в бескислородной среде);

• плохо пережеванная пища, разбавленная во время или после еды любой жидкостью (первое блюдо — еда). Снижение концентрации пищеварительных соков желудка, печени, поджелудочной железы не позволяет им переварить пищу до конца, в результате чего та бродит, гниет. В результате возникают заболевания, характер которых не имеет значения.

Нарушение работы ЖКТ — это:

• ослабление иммунной, гормональной, ферментативной систем;

• замена нормальной микрофлоры на патологическую (дисбактериоз, колит, запор и т. п.);

• изменение электролитного баланса (витаминов, микро- и макроэлементов), что приводит к нарушению обменных процессов (артрит, остеохондроз), кровообращения (атеросклероз, инфаркт, инсульт и т. д.);

• смещение и сдавливание всех органов грудной, брюшной и тазовой областей, что приводит к нарушению их функционирования;

• застойные явления в любом отделе толстого кишечника, что приводит к патологическим процессам в проецируемом на нем органе.

Если обобщить сказанное о питании, то можно сделать следующие заключения. Исходя из анатомической особенности строения, отработанная жидкостная среда из нижней части тела по воротной зоне, по пути собирая «грязь» от кишечника, направляется в **печень,** а меньшая часть — по портальной вене идет непосредственно в правый желудочек сердца.

По данным биолокации, в норме печень как детоксикационный орган должна отфильтровывать кровь у детей от 5—6 лет на 97—98%, 5—8 лет — 95—96%, 8—12 лет — 94—95%, у молодых людей до 20 лет — 92—95%, у людей старшего возраста — 90%. Иначе говоря, кровь, которая идет от печени, очищаясь на указанные величины, никакой опасности для нормальной жизнедеятельности клеток не представляет. Мой опыт народного целителя свидетельствует о том, что эти показатели с возрастом изменяются: у детей — 5—8%; у молодых — 10—15%; у взрослых — 15—20%; у пожилых — 20—25%; при значительной патологии — 25—30%.

При указанной степени зашлакованности наступают вначале функциональные, а затем и патологические изменения. Теперь представьте, что неочищенная кровь через правый желудочек сердца вместе с загрязненной кровью, пришедшей по портальной вене, отправляется в **легкие**.

Естественно, в легких такая кровь значительно меньше обогатится кислородом (если еще не усугубит это состояние курение). Затем эта относительно чистая, если не сказать «грязная», кровь через левый желудочек сердца распространяется по организму, в том числе в почки, которые постепенно, как и печень, выходят из строя.

Почки — это второй фильтр, работая в напряженном режиме, также зашлаковываются (вот почему там образуются кистозные образования, песок, камни), затем «грязь» распространяется по всему организму. Как вы думаете, если я вам предложу пить воду с 30% грязи, вы будете ее пить или откажетесь?

Все же клетки начинают в таких условиях работать, по пути загрязняя сосудистую, венозную сеть, межклеточное пространство, то есть лимфатическую сеть, которая «задыхается» от непосильной работы (это имеет непосредственное отношение к лимфатическим и другим заболеваниям). Большая часть неудаленной «грязи» через кишечник и почки оседает в суставах, где есть свободное пространство, где как в отвалах оседают мочекислые образования.

Плохо пережеванная смешанная пища, да еще запитая любой жидкостью, не может переработаться секрецией желудочного сока из-за снижения его концентрации до микроскопических частиц, что затруднит ее расщепление в двенадцатиперстной кишке секрецией печени и поджелудочной железы, а в кишечнике такая непереработанная пища начинает гнить и в таком виде поступает в печень, легкие, почки, суставы и далее везде. Что же получается: пока вы не наведете порядок в желудочном тракте, начиная с ротовой полости, вылечить всю цепочку органов невозможно, так как они взаимозависимы друг от друга.

Для того чтобы в целом проверить, как работает желудочно-кишечный тракт, существует простая проба. *Примите 1—2 ст. ложки свекольного сока (пусть он отстоится 1,5—2 часа), и, если урина после этого окрасится в бурачный цвет, значит, ваш кишечник и печень перестали выполнять свои детоксикационные функции, и продукты распада — токсины — попадают в кровь, в почки, отравляя организм в целом.*

Наблюдая за состоянием пациентов, прошедших курс лечения в наших лечебно-профилактических центрах, их родственники, да и я сам порою, поражались результатам: независимо от характера заболеваний только очистка организма в более 70% случаев (кроме тяжелых состояний) сказывалась на общем самочувствии, исчезали многие симптомы, которые раньше никакими средствами устранить было невозможно.

Итак, по-моему, самым правильным является раздельное питание (табл. 2).

Таблица 2

Схема раздельного питания

I группа	II группа	III группа
Белки	**Растительная пища**	**Углеводы**
Мясо	Зелень (включая ботву и листья)	Хлеб (чем грубее, тем лучше)
Рыба	Фрукты	Мучные изделия (чем меньше, тем лучше)
Бульоны (первую воду слить)	Сухофрукты	Крупы
Яйца (всмятку)	Овощи (кроме картофеля)	Картофель
Бобовые	Соки (свежие)	Сахар
Грибы	Ягоды	Чай, компот
Орехи	Жиры	Варенье
Семечки		Мёд

СОВМЕСТИМЫЕ СОВМЕСТИМЫЕ

НЕСОВМЕСТИМЫЕ, ОПАСНЫЕ ДЛЯ ЖИЗНИ

Как видно из схемы, продукты питания 1-й группы можно сочетать с продуктами 2-й группы; продукты 3-й — со 2-й; а вот 1-ю группу нельзя смешивать с 3-й. Как это должно работать на практике? После того как вы употребили белковую пищу, углеводные продукты можно есть только через 4—5 часов, а белковые продукты рекомендуется есть не ранее чем через 3—4 часа после употребления углеводных. В то же время растительную пищу следует есть за 10—15 минут до приема белков или углеводов.

Во 2-й группе (растительная пища) на первое место я поставил *ботву* и *листья*. Это сделано не случайно. Многие люди в своем питании используют мясо, чаще всего крупного и мелкого рогатого скота (коров, овец и т. п.). Жители сельской местности сами видели (а городские — по телевизору или в кино), чем этот скот питается. В основном это трава, ботва, листья. И на такой грубой пище, содержащей все необходимое (в том числе аминокислоты, макро- и микроэлементы, фитонциды и пр.) для жизни, без соблюдения различных диет, вырастают громадные животные. Так вот, оказывается, в вершках растений больше указанных веществ, чем в плодах. Вот почему животные выглядят здоровыми и не болеют теми болезнями, что свойственны человеку с его цивилизованной пищей.

Конечно, ЖКТ человека не приспособлен для переработки подобной грубой пищи. Особенность растений состоит в том, что их наиболее специфичная часть, отличающая один вид от другого, заключена в прочную наружную оболочку, которая сохраняет все ценное, что является видовой принадлежностью: аминокислоты, микро- и макроэлементы, ферменты, витамины и прочее.

У животных более сильная кислота желудка, которая разрушает оболочку растений и использует все необходимые вещества для их жизнедеятельности, и корова становится коровой. У человека кислота более слабая, нет механизма переваривания плотной оболочки растений.

Однако известен способ использования ботвы и листьев в питании человека с помощью блендера для разрушения этой оболочки. Нужно взять ботву, листья 3—4—5 видов различных растений (по 1 пучку), измельчить в блендере в соотношении 1 часть зелени на 3 части воды. Пить такой коктейль (0,5—1 стакан) можно перед едой и даже вместо еды. С ним вы получите истинное здоровье, о котором каждый из нас мечтает. Из-за возможной горечи можно добавить в напиток какие-нибудь ягоды, яблоко, мёд.

Примечание. Нахождение продуктов в одной колонке таблицы не всегда означает, что их можно есть одновременно. Например, мясо и рыба состоят из белков разной видовой принадлежности, которые могут требовать от организма различного состава желудочного сока. Поэтому рекомендуется есть эти продукты в разное время.

Запомните главное: у нас в организме, как и в Природе, **соотношение щелочей и кислот должно быть 4 к 1, иначе организму приходится тяжко.**

К примеру, для ощелачивания организм берет кальций из собственных костей. Кальций входит в структурный элемент клетки. Он накапливается в организме до 23—25 лет. Потом он начинает медленно расходоваться из-за малого количества выпиваемой воды, из-за большого количества съедаемого мяса, из-за большого объема пищи, съедаемой за один раз, ограничения движения.

Для построения клетки кальций берется из костей организма и расходуется. Отсюда остеопороз, остеохондроз, чему и способствует закисление организма. Получается, *чем больше человек ест кислотных продуктов, тем больше у него расход кальция за счет собственных костей.* Но самое главное, кости любят все время работать, чтобы на них давили, крутили, вертели. С возрастом и при малоподвижном образе жизни кальций выводится из костей быстрее. При остеопорозе он прямо «тает» в костях, как снег на солнце. *Надо больше двигаться — это единственный способ спасения.*

Чтобы составить себе рацион, надо хорошо все обдумать. К примеру, слива, вишня, брусника признаны закисляющими продуктами, но это не значит, что их не надо есть совсем. Надо, они полезные, но соизмеряйте их количество. Или курятина? Она не щелочная, но она полезнее красного мяса... и т. д.

Большая часть бобовых и круп, за исключением гречки и проса, при обычном приготовлении повышает кислотность крови. Однако после замачивания или проращивания они приобретают ощелачивающее свойство. Сырые орехи и семена нужно замачивать за полчаса до еды, крупы — за 0,5—2 часа перед варкой, бобовые — на ночь.

Обратите внимание: защелачивающие продукты (к примеру, фрукты), употребляемые с сахаром (сильным закислителем), закисляют организм (кровь). Вот почему лучше свежие ягоды, а не варенье и не протертые с сахаром. Ягоды лучше замораживать и варить потом из них компоты.

И вот что еще немаловажно: чем ближе овощ или фрукт к поверхности почвы, тем выше в нем содержание подщелачивающих макроэлементов (например, калия). Наиболее полезны в этом смысле *свежие помидоры, свекла, дыни, тыква.* Более эффективно ощелачивают кровь *свежеприготовленные овощные или фруктовые соки.* Самые полезные — *морковный, из сельдерея и арбузный.*

В ваше меню обязательно должны входить *тертая сырая свекла и морковь, мелко нарезанная капуста, укроп, сельдерей, лук и чеснок.* Очень полезно употреблять в пищу *молодые зеленые побеги растений, ботву растений, мёд, травяные чаи, соевый соус, морские водоросли, проростки зерновых.*

Один раз в неделю желательно устраивать себе разгрузочные дни, употребляя в пищу только сырые овощи и фрукты или даже в один из таких дней пить только соки и пюре. А вот если вы заболели, необходимо отказаться от любой мясной пищи и от бульонов.

Во время еды не выясняйте отношения, не обсуждайте рабочие дела, не смотрите ужастики и все прочее. Проку от этого нет, а вред большой. Любой негатив во время еды уменьшает пользу от пищи. Как обедали наши предки? Пища — это дар богов. Вы должны радоваться, что на столе есть пища. Поэтому любая трапеза начиналась с молитвы, с благодарения Бога и заканчивалась благодарственной молитвой. Трапезничали молча... А сейчас за столом люди занимаются словоблудием, кого-то обсуждают и осуждают, ругают начальство и т. д. Если не можете молчать во время еды, то лучше рассказывайте забавные истории, беседуйте на приятные темы. Не зря наши предки читали молитву перед вкушением пищи, это приносило благодать на еду, пользу от нее, положительную энергетику.

После первого и второго подходит очередь третьего блюда. Перед вами стоит компот, чай или кофе. Это самое страшное для вашего здоровья. Если перед едой вы не пили, то воды в организме не хватает, и вы выпиваете этот напиток. Что при этом происходит? Вы разбавляете тот желудочный сок, который выделил желудок для переработки этой пищи. Концентрация его уменьшается, и в результате кислота не может разъесть съеденную вами пищу.

Справка

1. Самый простой и к тому же достаточно точный метод измерения pH в домашних условиях — это метод измерения с помощью лакмусовой бумаги. Лакмусовая бумага представляет собой узкую полоску бумаги, пропитанную лакмусом — красящим веществом сложного химического состава.

Лакмусовая бумага обладает высокой чувствительностью. Поэтому производители помещают ее в специальные маленькие корпуса-контейнеры, обычно из пластмассы, которые защищают ее от проникновения влаги. Для удобства пользования лакмусовая бумага чаще всего находится в этих контейнерах в виде небольшого рулончика. Потянув за кончик, находящийся в так называемом распределителе, можно оторвать нужное количество лакмусовой бумаги. Делать это надо сухими руками, чтобы бумага не отреагировала на влагу рук.

Для получения результата необходимо окунуть бумагу в раствор на 2—3 секунды, а затем сравнить с прилагаемой шкалой показателей, которая обычно помещается на корпусе лакмусовой бумаги.

Какие показатели мы можем измерить в домашних условиях? Прежде всего, показатели своих биологических жидкостей — слюны, слезы и мочи. Делать это лучше утром, сразу после пробуждения. Обращаю внимание: проверку pH слюны и слезы следует делать до умывания и чистки зубов или полоскания рта. Водные процедуры моментально внесут коррективы в показатель pH, и он не будет соответствовать фактическому показателю кислотно-щелочного состояния.

Далее мы можем измерить pH всех напитков, которые мы употребляем, pH воды из-под крана и бутилированной, если вы регулярно ее употребляете. Можно измерить pH супов, чая, соков — свежевыжатых и из упаковок, фруктов, овощей. Можно измерить pH всех продуктов, которые имеют жидкую составляющую.

Мы поступали именно так, потому что было интересно узнать, какие продукты и пищу мы употребляем и какие напитки попадают в наш организм. Мы не просто измеряли, мы записывали данные в тетрадь, чтобы иметь, во-первых, свою базу данных. А во-вторых, увидеть картину изменения pH во времени.

Как оказалось, pH может изменяться при температурном воздействии на продукт и при некоторых других обстоятельствах. Мы подошли с таким интересом и вниманием к измерению pH в силу того, что он дает информацию о нашем кислотно-щелочном балансе. А также информирует о том, как продукты питания влияют на его уровень. Поэтому рекомендую иметь в своем домашнем хозяйстве это простое приспособление, которое станет надежным помощником в деле сохранения здоровья.

2. Для определения значения pH в основном используют два способа:

а) водородный показатель можно определить с помощью индикаторов, которые меняют свой цвет в зависимости от кислотности среды. При этом наиболее известны лакмусовые тесты. Они изменяют свой цвет, который сравнивают с цветом pH-шкалы, где каждый цвет соответствует определенному значению pH;

б) для более точных измерений pH используют специальные приборы — pH-метр или иономер, которые измеряют pH более точно (до 0,01 единицы). Способ отличается удобством и высокой точностью, позволяет измерять pH непрозрачных и цветных растворов и поэтому широко используется.

Измерения pH мочи надо проводить в течение недели. Чтобы правильно оценить полученные результаты, надо знать, что pH мочи зависит от питания, психического состояния, времени суток. В норме pH мочи колеблется в пределах 4,5—7,7. Разница pH мочи утром и днем характерна для здорового организма. Во второй половине ночи должно выделяться больше кислот, поэтому утром моча должна быть более кислой, чем вечером.

При нарушениях кислотно-щелочного баланса колебания кислотности мочи становятся малозаметны или вообще исчезают. При этом и утром, и днем выделяется кислая моча, или кислая и нейтральная, но без щелочной фазы. У каждого человека колебания pH мочи индивидуальны, но важно, чтобы наблюдалась разница между pH ночной, утренней и дневной мочи. Измерять pH мочи нужно не в начале мочеиспускания, а в середине.

В отличие от значений pH мочи, которые зависят от многих причин, pH слюны — один из самых не подверженных влиянию факторов. pH слюны у здорового человека находится в пределах 6,0—7,9. Значения меньше 6,0 говорят об окислении организма. Измерение pH слюны следует проводить так: наберите больше слюны и положите лакмусовую бумажку под язык примерно на 1 минуту, затем сравните цвет индикатора с цветовой шкалой.

Д. Ашбах

МОЛОКО

Отдельный разговор о молоке. Этот продукт **не сочетается ни с какими другими продуктами.** Его надо употреблять за 2 часа до или после другой пищи. *Но надо ли его вообще употреблять?* В условиях обвального кризиса население России в основном начало питаться картошкой и молоком. Если картошка — это второй хлеб, то молоко сегодня не совсем качественный продукт.

Дело все в том, что из-за значительного ухудшения экологической обстановки вся внешняя грязь — пестициды, гербициды, радионуклиды — все оказывается в молоке. Не говоря уже о повышенном содержании кальция и казеина. Говорят, что пастеризация молока избавляет его от вредных микробов. Это так, но только частично, при этом в молоке полностью распадаются витамины группы В, аминокислоты, а структура белка становится трудноперевариваемой.

В западных странах давно уже наблюдается тенденция отказа от молока или использования низкожирного. Это дало ощутимый результат: значительно сократилось число сердечно-сосудистых заболеваний (например, в Финляндии), болезней желудочно-кишечного тракта, суставов и т. п. Недавно Всемирная организация здравоохранения (ВОЗ) сделала заявление, что употребление молока способствует развитию рака прямой кишки, который выходит на второе место среди всех видов рака. Первое место занимает рак груди у женщин.

Молоко — это белок, жир и витамины. У нас выпускается молоко жирностью от 0,5 до 6,5%, а количество белка не указывается. Почему? Идет подмена белка жиром, так как получение белка гораздо дороже обходится промышленности, главное — план, деньги, а здоровье потом. В чем причина? В отсутствии культуры получения и обработки молока. Кормят коров силосом настолько загрязненным, что в нем можно найти все что угодно, и даже после пастеризации молоко содержит столько же микробов, сколько их можно обнаружить в свеженадоенном молоке зарубежных коров.

Белка мало в кормах, а следовательно, при обработке там нечему сворачиваться, и даже кисломолочные продукты — творог, сыры — уже трудно приготовить качественные. Поэтому-то и пускают просто молоко в продажу, надеясь, что его выпьют. Кроме того, качество молока страдает от отсутствия технологической цепочки от фермы (процесс дойки) до магазина, где должны соблюдаться определенная температура и условия перевозки и хранения. А этого нет.

Природой, или Богом, определено так, что молоко используется только для вскармливания младенцев, причем каждому биологическому виду подходит определенный вид молока. Ребенок сосет женское молоко, теленок — коровье, а козленок — козье. Именно свое молоко — самое полезное для новорожденного. Никакое другое молоко не может стать его полноценной заменой.

С возрастом все млекопитающие переходят на другой вид пищи, когда их желудочно-кишечный тракт готов ее воспринимать. В Природе все устроено мудро, отшлифовано тысячелетиями. Те виды животных, которые были плохо приспособлены к жизни, уже давно вымерли. До определенного возраста у всех млекопитающих в молоке самой Природой заложена программа, при выполнении которой включается механизм, запрещающий употребление не только чужеродного, но и собственного молока взрослыми особями.

К тому же, женское молоко значительно отличается от молока той же коровы, козы. Если в женском молоке казеина (белка) содержится 0,3–0,5%, то в коровьем — до 5%. В коровьем молоке

144

мало железа, недостаток которого телята пополняют с травой.

Известно, что у тех, кому, начиная с грудного возраста, добавляют в пищу коровье или козье молоко, чаще развиваются диатезы, малокровие, дисфункция желудочно-кишечного тракта. Дело в том, что с первых минут рождения ребенка в молоке закладывается механизм образования молозива, которое держится первые 3—5 дней, лактазы и сычужного фермента, которые к 1—2 годам практически исчезают, вот почему среди детей и взрослых до 30% и более лиц с так называемой лактозной непереносимостью.

Мало кто знает, что в тонком кишечнике находится холодный термоядерный реактор, без работы которого не происходит синтез (превращение одного вещества в другое) недостающих организму веществ.

Роженице на заметку: после рождения попросите акушеров не перерезать пуповину минут 15—20 — это мощный поток дополнительной энергии питания в первые минуты жизни. Ни в коем случае не давайте уносить ребенка и как можно скорее (после обтирания) приложите к груди. Молозиво — иммунная система ребенка, профилактика дисбактериоза, диабета, усиление лактации, профилактика стафилококковой инфекции, своего рода вакцинация от всех болезней. Если в роддоме это будут делать со всеми детьми, то необходимости в проведении мероприятий по борьбе со стафилококковой инфекцией у главного врача не будет.

Повторяю, если у ребенка не запущен механизм образования лактазы и сычужного фермента сразу после рождения, то это — начало указанных выше и других заболеваний. Об этом я уже говорил в разделе о преемственности поколений. Но сейчас речь о пользе и вреде молока.

Человек пытается быть умнее матери-Природы, нарушает ее законы. Так, искусственно продлив время лактации коров, мы пьем коровье молоко. Здесь сразу два нарушения законов Природы: молоко другого вида и потребление молока взрослыми. Возможно, это одна из причин, хотя далеко не главная, роста количества хронических заболеваний.

А дело вот в чем. Начиная с первого глотка молока малыш любого млекопитающего, в том числе и человека, получает **лактозу** (молочный сахар) — энергетическое вещество, а для ее переваривания нужны ферменты — **ренин** и **лактаза** (не путайте с лактозой!), которые разлагают лактозу на основные физиологические вещества, являющиеся фундаментом построения всего организма, и эти ферменты перестают вырабатываться у большинства людей уже к 3 годам жизни (окончание периода кормления молоком). Это касается не только человека, поэтому вы вряд ли сможете назвать хоть одно животное, употребляющее молоко во взрослом возрасте. Его не пьют даже коровы! Вопреки всем древним мифам, чужое молоко **не переваривается** и **не усваивается** организмом человека.

Молоко содержит **казеин**, необходимый для развития копыт и рогов у телят. То есть казеин предназначен для телят и других парнокопытных животных, и его аж в 300 (!) раз больше, чем в молоке женщины! Только у парнокопытных есть необходимые ферменты для расщепления такого количества казеина, который способствует росту крепких и здоровых рогов и копыт. Неудивительно, что люди, употребляющие в пищу молоко, рано или поздно начинают страдать от камней в почках и других серьезных проблем со здоровьем.

Результаты исследований подтверждают также, что большинство людей, переживших инфаркт и инсульт, были любителями молочной продукции и часто употребляли ее в пищу. Повторяю: ни одно животное не пьет молоко после окончания периода вскармливания. Человек — единственное существо, употребляющее молоко в пищу, несмотря на его полную непригодность для организма и непереваиваемость во взрослом возрасте.

Для тех, кому этой информации покажется недостаточно, чтобы кардинально пересмотреть свои взгляды на молоко, скажу еще об одном элементе, содержащемся в молоке, о чем и медики, и пищевики стараются умолчать. Это **стронций** — радиоактивный элемент (радионуклид), который начал активно накапливаться в почве земли и в траве в опасных количествах с конца 1960-х годов.

Очистить молоко от стронция невозможно. Кстати, творог содержит стронция в 3 раза больше, чем молоко. Сыр — еще на порядок больше творога. Это также относится и к йогуртам, сметане, мороженому... Коровы не страдают от этого радиоактивного элемента, так как он выводится из их организма через молоко. А это молоко потом употребляют люди.

Кстати, именно стронций активно влияет на кости, делая их хрупкими и рыхлыми, так что молоком вы не только не укрепите свои кости, а добьетесь прямо противоположного результата.

Исследования показали, что стронций ослабляет иммунную систему и является провокатором *инсульта, инфаркта, сахарного диабета, гепатита, рака.* Не исключаю, что не во всех районах земного шара высокое содержание стронция, во многом это зависит от экологии, но даже на высокогорных пастбищах Швейцарских Альп зафиксирована повышенная радиоактивность... Это еще один пример пагубного влияния нашей цивилизации на планету.

Специалисты считают молоко диетическим продуктом. Но от его употребления нарушается работа желудочно-кишечного тракта, развивается аллергия и т. п., то есть человек заболевает. И вот почему. Процесс метаболизма осуществляется с помощью более чем 700 различных веществ. Так как энзимов **ренина** и **лактазы** в организме уже нет, то за процесс расщепления молочного сахара берется **галактоза**. В результате чего образуются токсические вещества, которые скандинавские ученые связывают с болезнями и старением. Эти токсические вещества напоминают прогорклое масло или жиры, используемые при приготовлении продуктов, которые употреблять нельзя.

Если ребенок находится на грудном вскармливании, с материнским молоком он постоянно получает дополнительную защиту от инфекционных заболеваний — антитела и др. факторы. Вот почему в народных методах лечения новорожденных часто рекомендуется закапывать материнское молоко в нос и т. п.

К 6 месяцам ребенок должен начать создавать свой собственный иммунитет, в этом возрасте иммунитет у ребенка несколько снижается. И существенно улучшится он только к 3 годам. Будет логично посоветовать маме кормить малыша грудью или, по крайней мере, грудным молоком, пока у нее есть такая возможность. Также совершенно ясно, что с целью недопущения нарушений функций пищеварения и изменения состава микрофлоры кишечника прикорм и все дополнительные продукты в рацион ребенка надо вводить только тогда, когда его пищеварительная система будет готова их усваивать, то есть через 4—5 месяцев. И дальнейшее питание ребенка, уже на годы взросления, должно быть правильным, чтобы вырос здоровый человек, который в дальнейшем уже сам будет отвечать за свое здоровье и поддерживать его.

Что же теперь делать — отказаться от молока совсем? Как быть миллионам людей, живущих в деревне и имеющих свою корову и другую живность? Я считаю, что полностью отказываться от молока не следует. Надо употреблять его в других модификациях. Это — **кисломолочные напитки** и **продукты**, полученные из молока путем сбраживания. Они полезны и легкоусвояемы. К примеру, за час молоко усваивается организмом человека лишь на 32%, в то время как кефир, простокваша и другие кисломолочные напитки — практически полностью.

В то же время кисломолочные продукты наравне с молоком обеспечивают потребности организма в полноценном белке и кальции, необходимом для работы сердечно-сосудистой, костной и нервной систем. Только кальций в этих продуктах содержится в оптимальном соотношении с *фосфором*, *магнием* и другими элементами, способствующими его лучшему усвоению. Известно, что много кальция содержится в молочных продуктах. Но в них очень мало магния.

Если в продуктах много кальция и мало магния (а их соотношение должно быть 1:0,5), то кальций не доходит по своему прямому назначению — до костной ткани. Более того, в этом случае под удар попадают сердце и сосуды. Кальций начинает вести себя самым коварным образом — он занимает место магния. В результате сосуды кальцинируются, уплотняются, страдает и сердечная мышца, а это ведет к развитию ишемической болезни сердца, сердечной недостаточности, нарушению сердечного ритма, почечнокаменной болезни. Чтобы кальций доходил до костей, в питании человека должно быть достаточно магния.

Наши предки с молоком ели гречневую кашу и черный хлеб (ржаной хлеб содержит магний, а гречка — чемпион по количеству магния среди зерновых культур). Главным же преимуществом кисломолочных продуктов, в частности напитков, считается то, что содержащиеся в них бифидобактерии убивают болезнетворные и гнилостные микроорганизмы, отравляющие организм. На первом месте — уникальный кефир, который все знают, затем простокваша, ряженка, новомодный йогурт (желательно без добавок, которые содержат сахар и часто ненатуральные), а также такие национальные продукты, как кумыс, айран, мацони. Они не только полезны, но и рекомендуются при *заболеваниях легких, крови, нарушениях желудочно-кишечного тракта (полипах, гастритах, язвах)* и др.

По данным зарубежной печати (Британский совет медицинских исследований) известно, что если больные с болями в области сердца пили натуральное молоко по 0,5 литра в день, то боли остались у 1,2% пациентов, а из тех, кто не пил, — у 10%.

Интересна информация Американской кардиологической ассоциации, которая помимо молока рекомендует своим больным принимать манную кашу, которая благотворно... «влияет на стареющие кости, мышцы, желудочно-кишечный тракт». Как тут не вспомнить слова тибетских мудрецов: «Вы начали с молока и манной каши, заканчивайте тем же». Однако во всех этих случаях, вероятно, речь идет о свежем, а не о пастеризованном молоке.

Если у вас наблюдается лактозная непереносимость молока, а это различного рода проявления аллергического характера, то, конечно, от приема молока следует воздержаться. Сейчас все большее распространение получает соевое молоко и соевые продукты, которые по своему аминокислотному и белковому составу практически идентичны нашему организму, но лишены всех недостатков, свойственных коровьему молоку: в них нет инфекций, вредных химических веществ, диоксина, животного жира и т. д.

Я задал вопрос ученым, отвечающим за питание, обратился в том числе и в родной мой Институт медико-биологических наук, отвечающий за питание космонавтов, какое их мнение в отношении приема жидкостей. Ответ был единодушным. Пить можно любую жидкость когда угодно, с чем угодно. Тогда я познакомил их с моей теорией «помойного ведра».

Ответ был одинаков. В принципе правильно, но это потребует пересмотра всей программы питания. А как же тогда быть с употреблением вредного продукта — натурального молока?

Недавно газета «Совершенно секретно» опубликовала материал о том, что с развалом сельского хозяйства практически все коровы страдают лейкозом, у них даже отобрали жилплощадь — пастбища, там теперь стоят виллы. В результате 400 тысяч детей в стране ежегодно заболевают лейкозом. Я предложил экологически чистую систему, проверенную несколькими институтами по оздоровлению почвы, растений, животных и человека. И оказалось, что это никому не надо и что оно потребует пересмотра многих хозяйственных проблем.

Недавно я написал книгу «Фрактальная медицина», в которой шла речь о том, что нарушение законов Природы означает болезнь. И вместо того чтобы заниматься оздоровлением народа, вся энергия ученых уходит на поиски средств борьбы с болезнями. После всего сказанного мне будут говорить, что мы живем не в стране дикарей, мракобесов?

Хотите доказательство того, что мы дикари, — вот оно. Наши далекие предки начали жизнь с нуля. Было тепло, еды было вдоволь, огонь у них был, но личного хозяйства не было. Они ловили зверей, жарили мясо, наедались «от живота» (что видно на исторических картинках). И так как назавтра еды они не запасали, они наедались чуть больше, впрок. Если какая-то привычка многократно повторяется, то она включается соответствующей программой в генетическую структуру человека. Несмотря на то что, кажется, человек изучен вдоль, и поперек, и вглубь, ученые пошли дальше. Они возвели в ранг закона прием пищи в такой последовательности:

- закуска,
- первое блюдо,
- второе блюдо,
- третье блюдо.

Наш организм — это конвейерная система. Цикл, который завершается за одни сутки. То, что вы употребили или съели, в каждом цеху проходит соответствующую обработку. Все, что необходимо органам, системам, изымается из конвейера, а остатки удаляются.

Каждый орган человеческого организма имеет определенные размеры и определенный объем и не мешает работать другим органам. Так, например, желудок вмещает от 500 до 700 мл. А обед, например, при вышеуказанном объеме блюд превышает 1 литр. Эластичные стенки желудка постепенно растягиваются, он опускается вниз, вплоть до малого таза, смещая все близлежащие органы. Но пища в таком желудке не может перемешиваться, она бродит, гниет со всеми вытекающими отсюда последствиями. Это с одной стороны. С другой, когда вы употребляете жидкости во время и после еды, вы снижаете концентрацию желудочного сока, которой не хватает для переработки продуктов, и остаются так называемые недоокисленные продукты. Эти продукты, именуемые «оксиды», изменяют щелочную среду организма в кислую сторону, медленно, но уверенно приводят организм к заболеванию.

Вы еще чувствуете себя здоровыми, но только за счет резервных возможностей организма, вашей иммунной системы, у которой также есть свой предел. Конвейер свою работу замедляет, энергопотенциал организма падает. Нарушается работа всего цикла, организм зашлаковывается, превращается в своего рода «помойное ведро». Когда вы запиваете съеденную пищу водой, то в желудке образуется неприглядная среда, которая, постепенно передвигаясь по конвейеру, становится грязной и в которой могут образовываться камни, песок и все прочее.

Длительное наблюдение за космонавтами в полете показало, что уменьшение объема еды в 1,5—2 раза оказывает мощный оздоравливающий эффект при употреблении воды натощак — 1,5—2 литра.

Я понимаю, что нашу естественную жизнь трудно поставить в жесткие рамки. Бывают важные события в жизни, знаменательные даты в семье, встречи с друзьями. Как быть в таких случаях?

С моим духовным отцом Марком состоялась интересная беседа. Я спросил его:

— Нас пригласили на золотую свадьбу, чего только там не будет. Как нам быть?

Отец Марк отвечает:

— Хозяйку обижать нельзя, надо откушать.

— Но идет Великий пост.

— Вы пищу оките 3 раза, и Бог вас простит.

Я говорю:

— Отец Марк, не поэтому ли у некоторых священников животы больше, чем грудь?

Сам отец Марк выглядит стройно и элегантно, он улыбнулся умными глазами и ничего не ответил...

Посмотрите, что предлагаю вам я. Известно, что на все биоэнергетические, химические реакции организм тратит не менее 1,5 литра жидкости. А человек выпивает в среднем не более 1 литра, причем не натощак. То есть организм у каждого из нас обезвожен, что является одним из основных факторов возникновения любого заболевания. Вода, принятая во время, после еды, — это грязная вода. Прежде чем попасть в клетку, она должна профильтроваться мембраной. Поэтому все газированные напитки, крепкий чай, кофе, с физиологической точки зрения, являются вредными напитками. Я предлагаю заменить привычный прием пищи на следующий.

1. Надо меньше есть. Уменьшение привычной порции еды — шаг к оздоровлению организма, избавлению от зашлакованности и улучшению пищеварения. Вся лишняя еда становится причиной болезни! Идеальный баланс продуктов на сутки по Неумывакину: белки (лучше — растительные, нежирные мясо и рыба) — 15—20%; растительная пища — 50—60% (как можно больше сырых фруктов и овощей); углеводы (в основном хлеб с грубыми волокнами и крупы) — 30—35%.

2. Чем лучше пережевываете пищу, тем лучше она усваивается. Пережевывайте пищу до тех пор, пока не исчезнет ее характерный вкус. Пища, измельченная до «предела», попадая в желудок, обрабатывается выделенной соляной кислотой, которая здесь должна израсходоваться полностью. До основания перерабатывая пищу, из которой в дальнейшем извлекается все необходимое для организма. Из вас почти ничего не выходит, то есть ваше «помойное ведро» чистое.

3. Никогда не ешьте и не готовьте в гневе и спешке, старайтесь сделать прием пищи особенным ритуалом. Не стоит смешивать углеводную пищу с белковой — старайтесь разделить углеводы и белки на два отдельных приема пищи.

4. После еды необходимо отдыхать. 20 минут отдыха достаточно, чтобы организм полностью отдался процессу пищеварения и впитал все ценные вещества в состоянии покоя. Помните, что пищеварение само по себе — энергоемкий процесс.

5. Ужинайте не позже 18—19 часов. Это очень важно! Ваш ужин не должен быть поздним — тогда исчезнут любые проблемы с лишним весом, а организм будет отлично самоочищаться.

6. Пейте воду за 10—15 минут до приема пищи. После еды не пейте ничего в течение 2 часов — это касается воды, кофе, чая, компота и т. д. Это оптимальный питьевой режим для лучшего пищеварения. В день обязательно выпивайте 2 литра воды, следите за ее качеством — это основа здоровья.

7. Не ешьте горячую пищу — употребляйте только теплую. То же самое касается и напитков.

8. Один раз в неделю проводите разгрузочный день. Выберите тот, который наиболее подходит вашему организму: фруктовый, соковый день, кефирный или овощной. Такие разгрузочные дни мобилизируют защитные силы организма.

9. Приседайте. Я рекомендую выполнять всем целебные приседания. Добавьте к приседаниям ежедневную ходьбу пешком по лестнице, забудьте о лифте — и ваша физическая форма будет не хуже, чем у космонавта.

10. Не надо есть, если не хочется! Заставлять себя есть и впихивать в организм еду — это преступление против здоровья. Если вы не проголодались, значит, ранее съеденные продукты еще не переварились.

11. Не делайте другим людям того, чего не пожелали бы себе. Как это относится к здоровью? Я считаю, что духовное падение неизбежно ведет к преждевременной смерти — когда человек слаб духом, его тело тоже слабеет.

12. Если у вас высокая температура во время болезни, желательно поголодать. При температуре необходимо пить много жидкости, соблюдать постельный режим и отказаться на время от еды. Тогда выздоровление наступит очень быстро.

13. Пейте натощак воду с щепоткой соли. Это избавит вас от застойных явлений в желчном пузыре и поможет организму активно работать весь день.

14. Самодисциплина — то, без чего невозможно крепкое здоровье.

Приведенные выше правила очевидны, просты и понятны. Если бы все их придерживались, жизнь без лекарств стала бы реальностью! Запомните эти золотые каноны здоровья, и тогда любые болезни останутся в прошлом. Поделитесь основами системы оздоровления Ивана Павловича Неумывакина с друзьями, проявите и о них заботу!

НЕПРАВИЛЬНЫЕ ЖИРЫ — ВРАГИ НАШЕГО ОРГАНИЗМА

Дело в том, что поджелудочная железа, печень «ненавидят» жирную пищу, потому что при употреблении жирной пищи в поджелудочной железе увеличивается нагрузка на панкреатическую липазу, которая частично расщепляет жиры до ди- и моноглицеридов и препятствует их обратному «сшиванию», делает любой пищевой жир жидким (труднее всего — бараний и говяжий). Если этот процесс нарушен, происходит образование жирового комка.

И вот что еще важно. Поджелудочная железа очень хорошо приспособлена расщеплять жиры, но только натуральные, природные. А если в пищу поступают атипичные жиры (непищевые, их еще называют **трансжирами**), то липаза поджелудочной железы не может в полной мере расщепить эти жиры и нагрузка на поджелудочную железу возрастает в несколько раз.

Трансжиры — это полученный синтетическим путем жир. Производится он из растительного масла, причем самого дешевого, путем насыщения его молекул водородом. Двойные связи в молекуле теряются, и растительное масло из состояния жидкого жира переходит в твердое состояние — в маргарин. Такой жир не встречается в Природе.

Но вот интересный момент: наше тело устроено так, что не различает хорошие и плохие жиры и все использует для своих функций: энергетической, построения новых тканей (в том числе тканей мозга), дыхательной, выработки гормонов и т. д. И что из этого получится? Будет ли здоров организм от употребления плохих жиров? Особенно это касается детей. И что будет с их организмом через пару лет?

Синтетический жир приводит к плохим последствиям в виде болезней и сбоев в работе различных систем организма. Они могут провоцировать развитие серьезных **сердечно-сосудистых заболеваний**, таких как **ишемическая** и **гипертоническая болезни, атеросклероз, инфаркт**, а также **диабета, ожирения, онкологических заболеваний**. Словом, болезней, занимающих сегодня лидирующее место по смертности.

В чем причина такого опасного влияния трансжиров на процессы жизнедеятельности? Обмен веществ (метаболизм) в нашем организме — это совокупность химических реакций, позволяющих организму оставаться живым. Наша внутренняя лаборатория все время напряженно работает, и даже самое простое действие обеспечивается слаженной работой внутренних систем. Для начала организм разбирает съеденные нами *макронутриенты — белки, жиры и углеводы* — на более простые вещества.

К примеру, необходимые организму жирные кислоты образуются в процессе расщепления жиров и используются в качестве источника энергии для клеток организма. Они являются необходимыми элементами любого здорового питания.

Различают мононенасыщенные, полиненасыщенные и насыщенные жирные кислоты. Они нужны организму для обогащения кислородом кровеносной системы, участия в процессе образования новых клеток, поддержания хорошего состояния кожи, замедления процесса старения и др. Различают несколько типов жирных кислот: омега-3, омега-6 и омега-9.

Организм человека способен самостоятельно производить только кислоту омега-9, тогда как жирные кислоты омега-3 и омега-6 могут быть получены только вместе с пищей. Но важно не только привести в баланс полезные жиры, но и избавиться от вредных трансжиров.

Организм склонен запасать жиры, чтобы использовать их по назначению. При переработке им жиров высвобождается энергия, измеряемая в килокалориях, и с ее помощью организм строит новые молекулы. А молекулярная структура гидрогенизированного жира искажена по сравнению с природными соединениями. Поэтому, подвергаясь метаболизму в человеческом организме, трансжиры нарушают проникновение питательных веществ через мембраны клеток. В результате ухудшается процесс клеточного питания, что ведет к накоплению токсических продуктов извращенного обмена веществ. Это и служит основной причиной развития множества серьезных заболеваний.

Поэтому очень важно научиться разбираться в трансжирах и в продуктах, которые их содержат. Это касается маргарина, кулинарного жира, спредов, картофеля фри, чипсов, поп-корна, сухариков, чебуреков, гамбургеров, мясных и рыбных полуфабрикатов, куриных нагетсов, крекеров и всех остальных аналогичных продуктов питания. Добавляют трансжиры также в мороженое, майонез, соусы и кетчупы, в сдобу и тортики.

К сожалению, у нас нет законов, запрещающих трансжиры, а также требующих от производителя указывать на упаковке их содержание, в то время как на Западе эта практика повсеместна. Многие страны мира уже идут по здоровому пути, официально утвердив предельные нормы содержания опасных трансжиров в пищевой продукции. В Дании уже лет десять законодательно установлен 2%-ный максимум трансжиров в продуктах питания, как и в Голландии. Даже в США, «подаривших» миру фастфуд и «макдональдсы», официально предписывается указывать на этикетках продуктов содержание трансжиров. В Австралии вообще для изготовления масел применяется более прогрессивная технология.

А россиянам остается самим заботиться о своем здоровье. Имейте в виду, что любой продукт твердой или густой формы — это уже повод присмотреться к его составу. Добавляя в майонез растительный жир, производитель не только придает продукту дополнительную густоту, но и вносит в состав трансжиры.

Взяв в руку любой молочный продукт, хорошо держащий свою форму и не расплывающийся в руке (сырок, творожок, мороженое, молочный батончик), ищите на упаковке упоминание **маргарина**, или **растительного жира**, или **гидрогенизированного жира**. Если такое упоминание в составе найдено, в этом продукте точно есть трансжиры. Да и хозяйки хорошо знают, что натуральное сливочное масло в холодильнике затвердеет и его невозможно намазать на хлеб. А если масло в холодильнике остается эластичным — здесь не обошлось без трансжиров.

Что же касается натуральных растительных масел, то в разумных количествах они не только не вредны, но чрезвычайно полезны и необходимы нам для сохранения здоровья. Такие жиры снабжают нас энергией, незаменимы при усвоении определенных витаминов, важны для гормональной регуляции и защиты от переохлаждения.

Поэтому желательно, чтобы на вашем столе каждый день был витаминный овощной салат, заправленный 1—2 ложками любого нерафинированного растительного масла по вашему вкусу: подсолнечного или оливкового, рапсового или горчичного, льняного или кукурузного. Не стоит забывать и о злаках и орехах, содержащих сильнейший антиоксидант — витамин Е, способствующий максимальному усвоению ценных жиров.

Нормализовать обмен веществ можно. Все, что нужно, это качественное питание и больше движения. Основы все те же: питаться нужно дробно, полноценно, уделяя внимание каждому из названных макронутриентов.

Запомните! Рак, и всевозможные проблемы с иммунной системой и поджелудочной железой — типичные спутники потребителей трансжиров. В зависимости от того, какой жир человек потребляет, из такого жира и будут строиться ткани. Потребляя полезные жиры, вы помогаете своему организму.

Отзыв-признание
«Исповедь бревна лежачего»

Стиль и орфография автора сохранены

Здравия желаю, Уважаемый Иван Павлович, как справедливо вас называет журнал «Космос», Иван-чудотворец, гений, врач, мудрец, выдающийся ученый-изобретатель, я прибавляю неутомимый труженик, практик, душа-человек, родоначальник медицины в Космосе, наша история.

Пусть не ангел ты, но мне ниспослан Всевышним. Не рисуюсь, а искренне, от всей души.

Необыкновенный друг! Мне необходимо теперь научиться молиться.

Тема здоровья крайне сложная, на сегодня самая-самая проблематичная, деликатная. Поэтому говорить придется откровенно. Естественно, несу твердую ответственность за сказанное.

Что движет мной? А движет основной, видимо, закон земного бытия: забота о ближнем, забота о главном — здоровье. Оказали тебе помощь — теперь будь обязан и ты окажи. Выслуга 36 лет, из них 30 лет Север и Крайний Север, острова Новая Земля два срока — 6 лет, здоровье = 0

Вы убедительно пишете в книге «Магнитотерапия...» об отрицательном влиянии Северного полюса на здоровье, что мне довелось испытать на себе. Когда проводил первые чистки, впервые увидел, что мы накапливаем и носим в себе. Первое, что я произнес: «и ты, Вася, хотел быть при этом здоровым?!»

Кроме шлаков из кишечника, из легких у меня высвободилось примерно 3 кг «хронических соплей», я забыл, когда дышал через нос, в то время, оказывается, это так необходимо. И все же Бог был ко мне милостив, ведь мне ни разу в жизни не довелось отправить груз 200.

Берега, берега,
Берег этот и тот,
Между ними река
Моей жизни течёт...
А на том берегу
Мой костёр не погас,
А на том берегу

Было всё в первый раз.
В первый раз я любил
И от счастья был глуп,
В первый раз пригубил
Дикий мёд твоих губ.

В то время, когда космические корабли бороздят просторы Вселенной, 14.03.2016 стартовал ракетоноситель «Протон» со спутником «жизнь» на Марсе. Так что же получается, давайте посмотрим.

То, что вы сегодня с нами, уважаемые читатели, знайте, вы очень, очень молодцы! Очень цените свое здоровье. Видимо, жизнь станет радостнее и веселее, а значит, и счастливее!

Первый фундамент оздоровления. Человек природой зарожден как саморегулирующая (!) система, автомат, умный компьютер. Иммунная система направляет свои усилия на самое больное место, заболевание на данный момент. При этом делает это абсолютно безошибочно — это Природа. Это человек — саморегулятор! А поэтому, если хотим «не чихать», основная заповедь — «Не навреди!»

Если следишь за своим здоровьем, то будешь знать, куда оно ушло. А мы? Болит — мы к врачу скорее. Он диагноз неуверенно, как бы помягче, неточно, по своей специальности на сколько уровень квалификации позволяет, на сколько разумная инициатива «гиппократа» позволяет. Назначает антибиотики, ядохимикаты. Они обезболили, но, увы, первопричину болезни не удалили. А напротив, если помогли печени — навредили

164

почкам. Что, получается, думаем?! И еще: в жизни не выполняем это.

Вторая догма: при любой болезни оздоровление начинаем с очищения организма, ибо 75% иммунной (защитной) системы организма расположено в ЖКТ. ВОЗ определила. Узаконила 7 степеней зашлакованности человека. 7-я — это рак. Конечно же, в единстве с душой и сознанием.

Наши космонавты сегодня по одному году в критических условиях невесомости пребывания. До и после полета «обязательное очищение» в бамбуковых бочках, ванны Залманова. Не чихают, активно двигаются, здравствуют. Молодцы. Человек един, все взаимозависимо. Душа — материальна.

Так вот, посетил я международный центр управления здоровьем — Китай, Тибет — 5000 лет — методика лечения начинается так... Перед тем как больной попадет в лечебный корпус, он должен осознать, поверить в свои способности, возможности одолеть недуг. Обязан будет встать на символичный золотой круг, закрыть глаза, обратить свое сознание к Вселенной и призвать силы на помощь. И только после этого приступить ко всем, всем процедурам. Все это обязательно входит в программу оздоровления, лечения, настроения.

Уровень иммунитета — это показатель способности шутить, настроение. Мы же зачастую 24 часа у ТВ лежим и стонем: «Бо-ле-ю!» Господи, помоги, в том числе и я из тех же.

В 37 лет я попал в автокатастрофу (сейчас мне 60), в результате которой получил закрытую черепно-мозговую травму, сотрясение, опухоль головного мозга, травмы, перелом ключицы. Операция — 12 швов, операция на конечностях, две операции на глаза, потеря зрения, шейно-подбородочная киста 3—4 см повторная, после удаленной щитовидной железы. Язвы ЖКТ, геморрой, межпозвоночные грыжи — 3 шт. Инвалид 2-й группы: ИБС, атеросклеротический склероз, кардионевроз и т. д. Полный, полный букет болезней, но, главное, независимо от того, где нахожусь, внезапно стал терять сознание. Было до 5 раз в месяц. Подобное состояние в официальной медицине называется одной из форм шизофрении.

Профессор Неумывакин Иван Павлович с помощью своей биорамки поставил мне диагноз и сказал, что это не шизофрения, а последствия черепно-мозговой травмы: «Вам можно помочь, но только если будете выполнять наши рекомендации».

В то время уровень состояния моего здоровья был крайне неудовлетворительный. Левая нога онемевшая, я ходил «героически», сутулясь, с многократными остановками-«посиделками». Плохо видел в очках, постоянно испытывал боли вокруг и около всех внутренних органов, головы, суставов ног-рук.

Жена, столько с моими проблемами натерпевшаяся, справедливо окрестила меня «лежачим бревном», на что я абсолютно не в обиде, это так и было. Адресую нашим «боевым» подругам.

Очарована, околдована,
С ветром в поле когда-то обвенчана,

Вся ты словно в оковы закована,
Драгоценная ты моя женщина!

В тот момент для меня лучшей заботой обо мне было, чтобы меня оставили наедине и никто не беспокоил, не трогал.

В академии им. Сеченова, ознакомившись с моей историей болезни, тактично отказались лечить. Да, прошу меня извинить, мечтаю лично познакомиться с президентом Академии, так как не перевелись, видимо, на Руси настоящие мужики, даже сегодня. Когда на 20 съезде РАНМ РФ Иван Павлович рассказал эту историю, мне на следующий день позвонили из Академии и пригласили лечиться. Я, конечно же, был приятно растроган, а сам подумал: «Я бы точно так же поступил, когда работал». Жизнь — борьба...

За три недели в медицинском центре профессора И. П. Неумывакина под его личным наблюдением-лечением, благодаря его уникальной методике и его золотым рукам я начал ходить, почувствовал себя человеком, поверил. Поставил себе цель — преодолеть «недуг». Настоятельно рекомендую: читайте-изучайте. Овладевайте-внедряйте на практике своей, не пожалеете. Гарантирую положительный результат. Как в любом деле, его эффект и высота будет зависеть от вашей трудоспособности!

Сегодня, уважаемые, я читаю без очков, хожу свободно, не сутулясь, в метро вновь стало интересно передвигаться. Младший сын Руслан, отправлявший меня на вторую глазную операцию «за руки», теперь, когда здоровается со мною за руку, произносит-подтрунивает: «Здравствуйте, молодой человек». Меня, конечно же, это приятно оптимизирует. При этом примерно пару лет назад еще с трудом передвигался, 1 год назад не видел — сейчас читаю без очков.

Позор. Телезрители собирают деньги на лечение ребенка, при этом «Газпром» платит за купленного футболиста «Зенита» 100 млн евро. В жизни дисгармония, которую мы с вами наблюдаем.

Утром в 8 часов детская клиника во дворе нового микрорайона в городе. Молодые мамы с детками на руках, с сигаретой в зубах, большая-длинная очередь. В лечебное заведение спешат. Детская поликлиника забита.

По выходу садятся с родным малышом в автомобиль, а точнее, не садятся, а ложатся, вновь сигара-телефон в руки. Грубо, грубо нарушают технику безопасности: водитель обязан, управляя автомобилем, сидеть правильно, независимо от авто, и быть готовым адекватно отреагировать на внештатную ситуацию, не допустить аварию. Так мы бережем своих же деток... А — увы! — при этом спортивные тренажеры во дворе пусты. Люди-человеки, это грубая ошибка, ведь это наше потомство, наше будущее.

Критикуешь — предлагай. Я предлагаю во всей системе образования страны ввести обязательный предмет обучения нации РФ культуре здоровья.

Великий Гете — Все гениальное просто! Лев Толстой — символ мудрости таежной — в прошлом веке утверждал. За переедание, избыточный вес, 1/4 еды мы тратим сегодня для организма, а 3/4 дарим врачам. Малоподвижность, обжорство... Знаете, как Л. Толстой нас называл? Гробами передвигающимися. Не потому, что хотел обидеть, а чтобы заставить нас правильно жевать, думать, двигаться, ибо за нас с вами никто никогда этого не сделает.

Великий Гиппократ, выдающийся Амосов, Иван-чудотворец учат нас: здоровье зависит на 15% от наследства, на 15% — от проживания, на 15% — от врача, а на 55% — только от нас с вами. Думаем, а главное, с возрастом становимся мудрее и усердно проявляем заботу о своем здоровье. Из всех лекарств лучшее — ЗОЖ.

Диагностика возле зеркала в неглиже. Смотрю сверху вниз: седина, лысина, перхоть, глаза — мешки, уши — гной, глаза — слизь, во рту беспорядок, бородавки, в том числе на носу... у врача?! Пигментные пятна на всем теле, наросты на ногах и руки с мозолями и грибком. «Проблемы» — дискомфорт в интимных местах, аллергия и т. д. «Рабочий орган», пивной живот — ниже колен, вес, храп, морщины, тройной подбородок и т. д.? Элементарно убедительные показатели грубой зашлакованности организма человека. Английские ученые вскрыли 100 человек «ушедших» и обнаружили 15—26 кг шлаков! Ненужных...

Врач № 1 — сон от 22.00 до 5.55, то есть синхронно матушке-Земле, да и только, ибо иммунная система восстанавливается только ночью.

№ 2 — вода. Наши клетки состоят из воды на 70—80%. Дружить. И внутрь, и снаружи, она источник жизни.

3 — природа, движение, СЦЭК, иппликатор Кузнецова, душ Алексеева, БАТ их массаж. Бутылка в постели для лечебной УФЗ.

4 — баня. Да, кстати, на входе у вас урина — коричневая, а на выходе из бани она идеально прозрачная и без запаха, то есть pH в норме. И еще: вода смывает негативную энергию. На входе в баню мужчины нецензурно и очень резко бранятся, а на выходе уже удивительно вежливы. Даже проблема у обслуги, что чрезмерная вежливость окружает, реагировать устают немного. Неправда ли, здорово звучит?

5 — сода.

6 — перекись, уметь дружить постоянно.

7 — примерный алгоритм — схема болезни — перед всеми нами? Позже-раньше, а вот как ее встретит человек?

Здоровье — цель преодолеть «недуг», далее — исключить напрочь лень, поверить в себя! И только. Ключ к здоровью — через очищение от шлаков, ибо 75% иммунной системы человека расположено в ЖКТ.

Далее, еда — лекарство это, от вторично термообработанной пищи уже не польза, а вред!

Далее, каждый из нас должен иметь-уметь свою схему помощи организму, видимо, исходя из проблем и возможностей. Создать — совершенствовать и настойчиво-настойчиво выполнять! Свежие овощи-фрукты, больше каш, ЗОЖ, разгрузочные дни, больше двигайтесь, свежий воздух максимум, не травите себя сами никотином и т. д.

А далее — глубже и шире смотрите уникальную литературу профессора Неумывакина Ивана Павловича, она проста-доступна нашему брату, глубоко научна, практична, методически построена. Связь с коллегами — опора, связь с аудиторией, читателями, отзывы больных, то есть обратная связь — просто восхитительно, удивительно-познавательная.

Я в свои 60 лет из книг И. П. Неумывакина узнал о символике нагрудного Креста, символ-значение каждого его элемента. Где дорога в рай, а где в ад, почему звонят колокола, для здоровья стихи.

Притча — краткое выражение смысла жизни. Иван Павлович определяет ее созвучной нашему времени, злободневной.

Разгулялась стихия. Сильнейшее наводнение. Каждый спасается как может. На крыше своего дома уже по колени в воде стоит мужик и молит Бога о помощи. Мимо, держась за бревно, проплывает еще один мужик и, обращаясь к первому, говорит:

— Что попусту молишься, спускайся и цепляйся за бревно, оно выдержит двоих.

А тот отвечает:

— Плыви один, меня Господь спасет.

Вода все прибывает, вот уже мужику по грудь, а он все молит Бога о спасении.

Мимо проплывает еще один мужик, держась за бочку. Видит, мужик на крыше вот-вот потонет, и зовет его с собой. Тот опять отказался, ссылаясь на милость и помощь Господа. И утонул.

И вот он у Бога и говорит ему:

— Отче, всю жизнь я тебе молился, поминал во всех случаях, а ты в помощи мне отказал.

Бог отвечает:

— За то, что поминал, спасибо, но ты как жил дураком, так дураком и помер. Кто тебе двух мужиков посылал? Я даю людям свободу выбора, и по какой дороге они пойдут, то и найдут! К чему стремятся — то и получат. Как думают — так и живут.

Все-таки умный у нас Всевышний! Призадумайтесь. Я настоятельно рекомендую начать изучение книг И. П. Неумывакина с книги «Эндоэкология здоровья». Я ее называю «Азбукой здоровья». Должна быть у каждого на рабочем столе.

Землю в свалку превращаем.

Творящим зло на небо путь закрыт.

Людей ненужных не бывает.

Цель жизни человека — созиданье.

Какой ты на Земле оставишь след,

Таким на небе будет воздаянье.

Клянутся клятвой Гиппократа,

Порой цена ей грош.

В аптеках ядохимикаты,

Почтешь инструкцию — умрешь,

Но прежде есть профилактика и ЗОЖ.

Не резать надо, а лечить.

Первостепенность их значенья

Не обретут ни шприц, ни нож.

Проблема — экология души.

Больны народ, природа, государство.

Детей здоровых от рожденья нет.

Для россиян прозренье — лучшее лекарство.

Хоть человек — дитя Природы —

Теряет мудрость с каждым днем.

И. Бединский

И еще: тем, кто не верит, предлагаю провести эксперимент. Сядьте в трамвай, осмотритесь. Паспортные данные пассажиров сравните с их физическими данными. Убедительная, наглядная дисгармония? Но это еще не все: с каким чувством преисполненного долга данные пассажиры загружаются в трамвай, считая, что кто-то виновен в этом, но только не я. Я же хочу как лучше, достучаться до нашего «брата».

Я вас люблю, дорогой Иван Павлович, чего же боле, что я могу еще сказать. Теперь я знаю, в вашей воле мне в здоровье весомую, конструктивную помощь было оказать. Читайте, завидуйте, сегодня я постоянный пациент профессора. Думайте и поступайте правильно.

Прошло пять лет с тех пор, как я с целым букетом болезней обратился к И. П. Неумывакину. Сегодня я практически здоров и являюсь его активным помощником в пропаганде его оздоровительной системы.

Спасибо! Если оказался хотя бы чуть полезен, рад буду. Больше добра, любви и позитива. И тогда все в норме будет...

Приезжайте к нам! Я буду рад вас видеть. На лыжную трассу пятикратной олимпийской чемпионки Ларисы Лазутиной, г. Одинцово, МО, номер телефона 8-929-555-98-04. Здоровья вам!

Василий Майоров

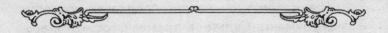

ЗАШЛАКОВАННОСТЬ ОРГАНИЗМА И ЕГО ОЧИСТКА

Всемирная организация здравоохранения (ВОЗ) определила **7 степеней** зашлакованности организма:

• **I степень** — общая необъяснимая утомляемость организма при повседневной жизни.

• **II степень** — головные боли, общее недомогание, ломота в суставах.

• **III степень** — признаки I и II, плюс частые простудные заболевания, выделение слизи, мокроты, высыпания на теле, различные болевые ощущения.

• **IV степень** — избыточный вес, образования в почках, желчном пузыре, различные опухоли: миомы, кисты, фибромиомы, аденомы; простатиты, мастопатия, отложения солей, остеохондроз, артрозы, артриты, полиартриты, отеки, инфекционные и вирусные заболевания.

• **V степень** — появляются различные деформации в суставах, позвоночнике, резкое снижение или повышение веса тела.

• **VI степень** — признаки I, II, III, IV и V плюс развитие параличей внутренних органов: атония кишечника, мочевого пузыря, острые нарушения мозгового кровообращения, инфаркт миокарда, тромбозы, все вышеперечисленные заболевания.

• **VII степень** — рак.

Чтобы не болеть, организм надо периодически чистить, как любой механизм, к примеру, представьте себе стиральную машину, а лучше — чайник с накипью. Захочется вам из него пить? Так и клетки организма от такой гадости будут только болеть, а того еще хуже, перерождаться в раковые...

А если беда уже пришла — надо ОЧИСТИТЬ организм обязательно! Любая система оздоровления и лечения должна начинаться с очищения организма, а поддержание необходимого уровня здоровья (профилактика) также невозможно без использования той или иной системы очищения.

Назначение всех пищевых продуктов — предоставить организму питательные вещества, необходимые для его развития и роста. Различие между полезными и вредными продуктами питания проявляется количеством вредных отходов, образующихся из этих продуктов. Чем качественнее пища, тем меньше образуется кислотных отходов и тем больше минеральных и щелочных веществ, которые нейтрализуют кислоты. Выбирая продукты питания, всегда необходимо помнить: щелочные вещества, нейтрализуя кислотные отходы, очищают организм, а кислотные создают условия для закисления организма и загрязнения его кислотными отходами. Одна из существенных гарантий хорошего здоровья — *кислотно-щелочной баланс организма.*

К сожалению, в современных продуктах питания преобладают увеличивающие кислотность продукты. Это мясо и мясные изделия, продукты из белой муки, кофе, алкогольные напитки, пастеризованные соки, консервированные рыбные и морские продукты, булочки, сладости, кока-кола, лимонад и др. Список щелочных продуктов гораздо скромнее: свежие овощи и фрукты, салаты, картофель, негазированная минеральная вода и др. Очевидно, что в каждодневном питании поддерживать кислотно-щелочной баланс непросто.

Чтобы кислотные отходы не уменьшали щелочность, организм пытается их нейтрализовать и удалять с мочой, потом и выдыхаемой углекислотой. Для этого требуется с пищей и напитками получать необходимое количество щелочных минералов, среди которых важнейшими являются калий, натрий, кальций и магний. При их нехватке кислотность организма увеличивается, а щелочность крови уменьшается.

Показатель pH, характеризующий щелочность крови, должен быть в довольно узких пределах: от 7,35 до 7,45 единицы. Даже незначительные отклонения от этих значений вызывают серьезные нарушения здоровья, а при увеличении кислотности крови до 6,95 pH человек теряет сознание и может умереть. Поэтому организм эти отходы старается превратить в твердые вещества и накапливать в различных местах, обычно — в жировом слое, уменьшая, таким образом, их вредное воздействие.

Ожирение, излишний вес часто являются следствием неудаленных кислотных отходов. Затвердевшие кислотные отходы — это холестерол, почечные камни, камни желчного пузыря, ураты, сульфаты, фосфаты.

Там, где скапливаются кислотные отходы, нарушается кровообращение, жизненно важные органы испытывают дефицит крови. Это одна из причин раннего старения и многих дегенеративных болезней. При нехватке в пище щелочных веществ, особенно кальция, организм, стараясь нейтрализовать кислотные остатки, «занимает» эти вещества из костей. Так развивается остеопороз. При избытке мочевых солей в суставах начинаются артрит, подагра. Если не хватает ионов кальция около поджелудочной железы, нарушается производство инсулина и может возникнуть диабет.

Одна из причин высокого кровяного давления заключается в том, что кислотная среда сгущает кровь и повышает вероятность закупорки капилляров. Кислотные остатки накапливаются и в кровеносных сосудах. Они могут закупорить капилляры, снабжающие кровью мозг. Организм такие отходы пытается приклеить к стенкам артерий. В результате затрудняется кровообращение, ослабляется сердечная деятельность. Так развиваются болезни сердца, атеросклероз.

При резком увеличении физической нагрузки, в стрессовых ситуациях давление крови резко возрастает, при этом кровь может вытолкнуть свободно плавающие частички отходов и они могут закупорить кровеносные сосуды, снабжающие кровью мозг. Так может возникнуть реальная опасность инсульта. Кстати, при потреблении ионизированной щелочной воды эти частички сжижаются, растворяются и легко удаляются из организма с помощью почек.

Многих из нас беспокоит боль, внезапно проявляющаяся в различных местах организма. Часто причиной таких болей является скопление кислотных отходов. Каждый индивид эти отходы скапливает по-разному. Симптомы болезней как раз и указывают, где, около какого органа, в каких тканях скопились отходы. Главное — понять, что кислотные отходы образуются из различных продуктов — дорогих и дешевых, хороших и простых, а их скопление является основной причиной заболеваний дегенеративными болезнями взрослых.

Заметное улучшение состояния здоровья при уменьшении скопившихся кислотных отходов не должно удивлять. При нехватке щелочных веществ кислотные отходы нейтрализуются и удаляются не полностью, и, как результат — ускоряется старение организма и, к сожалению, «молодеют» болезни. Щелочная вода прекрасно и весьма эффективно справляется с этой проблемой.

В настоящее время весьма популярны различные препараты, регулирующие кислотность желудка. Однако частая причина кислотности — повышенная кислотность всего организма, а не только желудка.

Умение избавляться от кислотных отходов или умение их нейтрализовывать — основа хорошего здоровья и долголетия.

Любое заболевание невозможно вылечить без **нормализации режима питания**, очищения организма от шлаков, особенно печени и почек как важнейших фильтрующих систем. Благодаря очистке организма от шлаков и последующему разумному отношению к своему организму все его органы приводятся к резонансу с заложенной Природой частотой. Тем самым восстанавливается эндоэкологическое состояние, или, иначе, нарушенный баланс в энергоинформационных связях как внутри организма, так и с внешней средой. В результате человек живет столько, сколько ему отмерено Природой. Иного пути к здоровью нет.

Необходимость очищения определяется следующими обстоятельствами. Прежде всего это неблагоприятная экологическая обстановка (в том числе загрязненные различными токсинами питьевая вода и пища), курение и неумеренное употребление алкоголя. Кроме того, последствия применения больших доз антибиотиков и химиотерапевтических препаратов с течением времени приводят к накоплению в различных системах организма вредных веществ, которые отравляют организм, снижают активность защитных систем (в том числе системы иммунитета) и способствуют переходу организма в состояние предболезни, а затем и в болезненное состояние.

При этом защитные системы организма не только перестают полноценно функционировать, но и в связи с блокированием шлаками рецепторов клеток-защитников эти системы становятся «глухими» как к регулирующим сигналам организма, так и к действию лекарств-регуляторов, которыми и являются природные средства. Все эти явления еще более усугубляются с возрастом в связи со снижением интенсивности обмена веществ, а в особенности — вследствие длительных запоров.

Таким образом, очищение представляет собой необходимый этап в оздоровлении организма. Кроме проведения разовых курсов очищения необходимо включение в повседневное питание *мягко очищающих средств — клетчатки, пектинов* и пр.

Если человек при этом получает сбалансированное питание с включением необходимых витаминов, антиоксидантов и микроэлементов, иногда этого бывает достаточно на фоне здорового образа жизни для введения организма в зону здоровья, когда вероятность заболеваний существенно снижается.

Народная медицина предлагает массу рецептов на основе натуральных природных средств, и я их в большом количестве привожу в своих книгах. Читайте и выбирайте.

ОЧИЩЕНИЕ ОТ ПАРАЗИТОВ

По данным ВОЗ, около 90% населения Земли, возможно, носят в себе гельминтов. Это действительно страшно. Люди как-то привыкли, что глисты бывают только у кошек и собак. Мало того, каждый сознательный владелец водит своего домашнего питомца к ветеринару, покупает таблетки от глистов, делает ему прививки. Естественно, животные гуляют, где хотят, лапы не моют. А дома их ласкают и целуют дети, ничего не знающие и не подозревающие о паразитах. Да и хозяева-взрослые не отстают от детей. А дети, особенно младшего и среднего возраста, больны острицами и аскаридами практически стопроцентно.

Кто-то скажет: а у нас нет домашних животных. Тогда ответьте на такие вопросы:

• Вы живете в частном доме?

• Вы пьете воду из колодца или из родника?

• Вы всегда моете руки перед едой?

• Овощи и фрукты перед употреблением хорошо моете и ошпариваете кипятком?

• Любите бифштекс с кровью?

• А копчености любите?

• Уверены, что все мясо и рыба, которые вы едите, хорошо прожарены?

• Уверены, что продукты, которые вы купили у частника на рынке, проверены санэпидстанцией?

• А суши вы любите?

Все это факторы риска заражения гельминтами.

Гельминты (они же глисты) — это паразиты, которые живут в организме человека и животных. Гельминтозы — группа заболеваний, вызванных паразитированием в организме человека гельминтов (глистов).

Термин «гельминтозы» (от лат. *Helmintos* — «глист») введен *Гиппократом*, который подробно описал клинику некоторых из них, в частности, аскаридоза и эхинококкоза. Справиться с этой напастью нелегко. Медикаментозное лечение сложное и очень-очень вредное. Да и лечат от этого с неохотой, так же как и не делают углубленных точных анализов. А всевозможные центры с помощью своих приборов обнаружат десятки видов паразитов и предложат лечение, на которое уйдет уйма денег. Секрет — бизнес...

Бороться с поселившимися в организме паразитами помогают многие лекарственные растения. Например, пижма, тыквы (семена), полынь. Только они могут справиться не со всеми видами паразитов, да и к тому же растениям не под силу уничтожить их яйца. А поэтому заболевание возвращается вновь, борьба с глистами затягивается.

В своих книгах я всегда подчеркиваю, что основная причина заболевания зависит от состояния паразитарной микрофлоры. В щелочной среде организма все паразиты гибнут, а в кислотной — активизируются. В книге «Рак. Причины заболеваний» я привел ряд противопаразитарных средств, в том числе и семейство грибов. Однако я упустил из вида, что такой гриб, как лисичка, в этом отношении превосходит другие. Поэтому я приведу пример использования лисички как противопаразитарного средства, нормализующего многие функции организма.

Лисичка — это настоящий источник витаминов и полезных элементов. В ее состав входят такие вещества, как:

- Витамины группы А.
- Полезные вещества из группы В.
- РР.
- Зола.
- Провитамин О, способствующий очистке печени от токсинов и отравляющих веществ.
- Витамины группы Е.
- Кобальт, фтор, марганец, медь и др.

Благодаря такому богатому содержанию, лисички отлично помогают при борьбе с раковыми опухолями, а также заболеваниями глаз. Эти грибы активно используются при лечении целого ряда глазных болезней и гепатитов. Кроме того, они широко используются при соблюдении диет против ожирения. Среди других положительных моментов в этих грибах можно отметить следующие:

- Лечат поджелудочную железу и печень.
- Способствуют излечению от нарывов и фурункулов.
- Эффективно борются с ангиной.
- Укрепляют иммунитет.
- Убирают опухлость.
- Помогают избавиться от варикозного расширения вен.

Наряду с таким количеством положительных свойств, этот гриб имеет и свои противопоказания.

Так, его нельзя принимать при гастрите и воспалении желудочно-кишечного тракта. Также лисички нельзя есть беременным и нежелательно есть детям до 3 лет. Это связано с тем, что у них довольно слабый желудок, плохо переваривающий такую пищу.

Кроме того, необходимо знать, что одновременное употребление лисичек, моркови и витаминов может привести к пожелтению кожных покровов.

Эффективность действия лисички против паразитов обусловлена содержанием в ней особого вещества — хиноманнозы. Она обладает антипаразитарным свойством, а ее отличительной особенностью считается разрушение глистов и их яиц изнутри.

Проникая внутрь личинки или зародыша, хиноманноза блокирует нервные окончания, а также способствует удалению оболочки с яиц. Все это вкупе приводит к умерщвлению глистов и их выводу из организма.

Однако хиноманноза разрушается при температуре выше 40 градусов и в большом количестве соли или спирта. Именно потому, для наиболее эффективного использования лисички против глистов, лямблий, требуется использовать их в сыром либо сушеном виде.

Сушить лисички нужно с помощью специальной сушилки, не нагревающей выше 40 градусов. После сбора грибы желательно перебрать в течение 24 часов и поместить в сушилку или заморозить.

Чтобы одолеть паразитов при помощи лисичек, можно есть их сырыми (есть примеры, когда люди съедали по 3—4 гриба 2 раза в день и за 10 дней избавлялись от гельминтов).

Чем лисички лучше лекарств? Можно выделить основные моменты:

1. Натуральностью компонентов.

2. Безвредностью для организма.

3. Эффективностью удаления глистов.

4. Очисткой организма в целом и отдельных внутренних органов.

Рецепты противоглистных средств

• 1 ч. ложка порошка из лисички заливается 1 стаканом воды комнатной температуры. Настаивается эта смесь в течение часа, после чего выпивается полностью вместе с оставшимся порошком.

• Порошок из лисички и белых грибов (по 1 ч. ложке) заливается водой в количестве 200 мл, настаивается в течение часа и выпивается. Этот рецепт позволяет не только вывести глистов из организма, но и удалить все их остатки.

Курс — 20—25 дней. Процедуру повторять 2 раза в год: весной и осенью.

Все знают, что для лесных червей грибы — любимое лакомство. А вот лисичку паразиты обходят стороной. Это самые чистые грибы в природе.

Благодаря наличию в лисичках соединений, содержащих серу, полезно включать их в рацион для профилактики онкологических заболеваний. Полезны лисички также при анемии, рахите, остеопорозе, ожирении, дисбактериозе.

Детям старше 3 лет лисички давать можно, но понемногу. При лечении детей количество порошка уменьшите в зависимости от возраста. Давайте ребенку на ночь не целый стакан, а 1 ст. ложку настоя.

Заготавливая лисички на зиму, не спутайте их с ложными лисичками!

Грибной порошок можно добавлять в различные блюда. Например, посыпать им вареную картошечку или добавлять в суп для придания грибного аромата.

Смешав порошок со сливочным маслом, вы получите грибную пасту, которую можно намазать на бездрожжевой хлеб, положить сверху кусочек сыра и дать ребенку или супругу, если они отказываются пить воду с порошком.

Можно нарезать банан кружочками и, сделав в одном из них небольшое углубление, насыпать порошок туда, сверху накрыть вторым кружочком и дать ребенку.

Кроме того, грибной порошок можно добавлять в томатный сок, кефир и т. д. По вашему усмотрению. В общем, и вкусно, и полезно!

Храните грибной порошок в стеклянной банке в кухонном шкафу. Лисички убивают паразитов, поэтому ваша семья круглый год будет обеспечена натуральным природным антигельминтным средством.

Лисички

Вот еще несколько простых и недорогих рецептов для очищения от паразитов.

Одним из самых эффективных и испытанных народных средств против червей-паразитов является следующее: в течение дня съесть 10 долек *чеснока*, запивая *топленым молоком*. И больше ничего в этот день не есть. Через 2 часа следует принять слабительное. Для тех, кто чувствителен к запаху чеснока, советую дольку раскрошить, положить на мякиш черного хлеба и проглотить.

* * *

Растертые с мёдом семена тыквы — одно из старинных средств против паразитов — как **крупных глистов вроде цепня, так и аскарид с острицами.** Надо взять 300 г *сырых семечек*, очищенных от кожуры, растереть в ступке небольшими порциями, добавить 3 ст. ложки *мёда* и тщательно перемешать. Принять всю дозу натощак по 1 ч. ложке через каждый час. Через 3—4 часа принять *слабительное* (например, приблизительно 1 ст. ложку *касторового масла*), а еще через полчаса сделать клизму.

* * *

При **заражении глистами** необходимо сочетать внутреннее употребление *тыквенного масла* (по 1 ч. ложке 3 раза в день) с лечением микроклизмами 25—50 мл (на ночь).

Чтобы поставить микроклизму, понадобится шприц без иглы или маленькая детская клизма. Для приготовления раствора необходимо тщательно и энергично размешать 1 ст. ложку *тыквенного масла* в четверти стакана теплой *воды*. После микроклизмы нужно полежать 12—15 минут. Вместо микроклизм можно ставить на ночь *ватные тампоны*, пропитанные маслом. Предварительно нужно сделать очистительную клизму на воде.

На курс такого лечения потребуется 400—600 мл тыквенного масла.

* * *

Тыквенные семечки можно использовать и как **профилактическое средство**. Для этого берут 300 г свежих *семечек* с зеленой оболочкой, тщательно перетирают в керамической ступке, смешивают с 50—100 г *мёда* и употребляют с утра до завтрака в течение часа. В полдень следует прием слабительного, а затем через полчаса — очистительная клизма.

* * *

Для изгнания глистов можно принимать внутрь и *тыквенное масло:* в течение 2 недель по 1 ч. ложке 3 раза в день. При заражении **острицами** тыквенное масло необходимо принимать утром натощак. Максимального лечебного эффекта в данном случае можно достичь, сочетая лечение тыквенным маслом с употреблением в пищу тыквенных семян и часто приправляя пищу *корицей* или *тмином*.

* * *

Примечание. Накануне приема любого противопаразитарного средства — подготовительный день. Пища в протертом и жидком виде (супы, жидкие каши, овощное пюре, рубленое мясо, кисели, простокваша, белый черствый хлеб). Вечером накануне лечения после легкого ужина на ночь принимают слабительную соль — взрослые 25—30 г, дети — в зависимости от возраста.

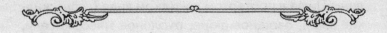

ФИЗИЧЕСКИЕ НАГРУЗКИ

Очень важной составляющей моей оздоровительной системы являются **физические нагрузки**. Известно, что любая физическая работа ускоряет обмен веществ, что связано с повышением потребления энергии, образующейся в результате окисления углеводов и жиров.

Одним из мест образования энергии на внутриклеточном уровне являются маленькие «электростанции», которых только в одной клетке находится от 100 до 10 тысяч, особенно в клетках сердца, и которые называются митохондрии. Развитие митохондриальной системы клетки, происходящее при выполнении физических упражнений, — лучшее лекарство от диабета или его осложнений.

Что такое митохондрии? Существует гипотеза, что митохондрии — это древние бактерии, «прирученные» клетками. Они имеют свой собственный аппарат ДНК, но размножаются под контролем клетки, в которой живут от 10 до 20 дней. Подсчитано, что энергия, выделяемая всеми митохондриями на массу мышц тела, сравнима с энергией двигателя реактивного самолета, взлетающего вертикально, КПД их составляет около 80%.

Митохондрии обладают сложной ферментной системой, для которой нужны микро- и макроэлементы.

Если митохондрии их не получают, то клетка перестраивается на другой способ получения энергии и становится автономной, а это уже перерождение клетки.

Известно, что такое перерождение может устранить программу «самоубийства» клетки, так называемого процесса *апоптоза* в анаэробных (бескислородных) условиях, что, кстати, позволяет образовываться и развиваться раковым клеткам, которые могут жить только в бескислородной среде.

Гликолиз (процесс окисления глюкозы, при котором из одной молекулы глюкозы образуются две молекулы пировиноградной кислоты) — это неэкономный способ получения энергии, поэтому та же раковая клетка (ткань) всегда чуть теплее, чем в норме, и этот факт положен в основу метода радиотермометрии для ранней диагностики опухолей. Если нормализовать работу клетки, то она сама может изолировать, подавить рост опухоли, образовать вокруг нее соединительнотканную капсулу как инородное тело, которое без больших осложнений можно и удалить.

Усилить действие физических нагрузок можно различными способами. Как это сделать? *А. Залманов* всю свою жизнь посвятил изучению роли *капилляров*, этого периферического сердца, в жизнедеятельности организма и доказал, что любое физическое воздействие с помощью мышц, начиная прокачивать кровь и включая запустевшие сосуды, усиливает образование энергии за счет повышения снабжения клеток необходимыми веществами и кислородом. Удивительно, но при физической работе капилляры развиваются не только в скелетных мышцах, но и в мышцах сердца, и в мозгу.

Основную роль по прокачке жидкостного «конвейера» организма берут на себя не только капилляры, но и повышенный тонус мышц, в которых они пролегают. Также в кровообращении участвуют «насосы», расположенные в главном венозном сердце — диафрагме, в суставах, работающих как помпы. При физической активности более экономно начинает работать сердце, система дыхания. Причем этот процесс наблюдается независимо от того, чем страдает человек: будь то диабет, гипертония, перенесенный инсульт, инфаркт, различного рода заболевания суставов.

Мышечный каркас человека — это более 500 мышц, которые являются помощниками сердца по перекачке жидкости, он так и называется — периферическое сердце, от состояния которого зависит наша жизнь, и чем оно лучше работает, тем меньше проблем со здоровьем. Вот почему, независимо от возраста, обязательны посильные мышечные нагрузки. Особенно важным физическим упражнением является приседание на вытянутых руках (см. с. 51).

Не менее важно, особенно для диабетиков, постепенно увеличивать количество приседаний до 200 и более раз в сутки. Это позволит добиться того, что сахар проходит в клетку и без инсулина, а диабет куда-то исчезает, но только при сохранении физической активности (ходьба не менее одного часа). Не надо забывать такое упражнение, как ходьба на ягодицах, укрепляющее очень важные для здоровья тазовые области. А лежа на спине выполняйте ходьбу на лопатках — это нормализует работу позвонков в грудной области.

Иван Павлович на сабантуе.
«Хождение на ягодицах»

Многие люди не знают, что обмен веществ у человека сформировался очень давно, в результате эволюционного развития. В те времена человек большую часть жизни находился в движении в поисках пищи и очень мало находился в состоянии покоя. Сегодня при том же обмене веществ распределение времени между движением и покоем поменялось на противоположное.

Большинство людей ведут малоподвижный образ жизни, особенно в городах. Утром работающий человек встает из-за стола после завтрака, спускается на лифте, садится в машину и едет на работу, проводит весь день за рабочим столом и вечером все повторяется в обратном порядке плюс просмотр телепрограмм сидя на диване.

Подобная последовательность ежедневных действий постепенно приводит к расплате болезнями за комфортный образ жизни и к последующим негативным изменениям в состоянии здоровья: избыточному весу, атеросклерозу, гипертонии, инфаркту или инсульту.

Такая же опасность подстерегает и пенсионеров, которые много времени проводят в покое, сидя на лавочке или на диване перед телевизором. Малоподвижный образ жизни способствует зашлакованности организма, образованию блоков в позвоночнике, ограничению подвижности суставов.

Многие люди считают, что тренировать мышцы должны только спортсмены, а остальным людям это делать не обязательно. В чем ошибка этих людей? У таких людей просто мало знаний о роли мышц в организме человека. Мышечный каркас представляет собой сложную систему, которая выполняет много функций. Она обеспечивает различные формы движений за счет мышц-сгибателей и разгибателей (ходьба, бег, прыжки и т. п.) и статику, прокачку жидкостной среды: крови, лимфы, межтканевой и других видов жидкости, — а также тренировку сосудов и капилляров. Эту систему также называют периферическим сердцем. Чем лучше она работает, тем меньше нагрузка на сердце и лучше состояние всего организма.

Люди знают, что сердечно-сосудистая система обеспечивает доставку клеткам кислорода, питательных веществ и удаление отработанных продуктов. При малоподвижном образе жизни большую часть времени в организме человека циркулирует не больше 40% всего количества крови, а в покое и у тучных людей — еще меньше. Остальная часть крови застаивается в капиллярах. Это вредно, так

194

как из организма должны удаляться не только продукты метаболизма, но и отмирающие эритроциты (около 200 миллиардов в сутки). Если это не происходит, то организм отравляется и возникают заболевания.

Занятие физическими упражнениями обеспечивает работу всех мышц (их напряжение и расслабление), и в работу включается так называемое периферическое сердце. В результате снижается нагрузка на сердце, равномерно распределяется кровь и другие жидкости в организме, устраняются застойные зоны, в которых чаще всего активизируются различные дремлющие инфекции и паразиты.

Немецкие ученые доказали, что если человек ежедневно занимается физической зарядкой в течение 20 минут, то он заболевает в 5—7 раз реже, эффективность его работы возрастает на 35—40%, и после 50 лет добавляется 5 лет жизни.

О пользе физических упражнений знают все, но мало кто их делает. Большинство людей считают, что для этого необходимо много времени, и предпочитают тратить его на более важные, по их мнению, чем собственное здоровье, дела. Я им рекомендую найти минимальное время для ежедневной оздоровительной физической нагрузки в домашних условиях.

Существуют различные школы физического воспитания, у каждой из них есть свои достоинства и недостатки. Личный опыт занятия физкультурой и опыт работы с олимпийскими командами позволил мне создать небольшой комплекс упражнений, который под силу выполнять не только здоровым людям, но и пожилым, и больным. Если вы будете его выполнять, то создадите организму тот жизненный тонус, который будет способствовать здоровью и долголетию. Эти упражнения направлены в основном на разгибание, растяжение и вращения.

Внимание! Имеются противопоказания для выполнения упражнений — *выпадение межпозвонковых дисков, соскальзывание позвонков, грыжа Шморля, острые и неотложные состояния.* Следует ограничивать движение при *варикозном расширении вен, трофических язвах, отеках.*

КОМПЛЕКС УПРАЖНЕНИЙ

Этот ежедневный комплекс физических упражнений рекомендуется начинать *делать сразу после сна, еще лежа в постели.* Многие люди не знают, что сразу вскакивать с постели после ночного сна не рекомендуется, это может быть опасным для здоровья, особенно пожилых и больных людей. Быстрый подъем с постели приводит к резкому повышению нагрузки на поясничный отдел позвоночника и перекручиванию верхнего отдела по отношению к нижней части тела. Резкое вставание чревато также потерей сознания от перемещения крови от головы, особенно у людей с сердечно-сосудистыми заболеваниями.

Поэтому после пробуждения надо сделать несколько упражнений лежа в постели.

1. Упражнение для ног. Выполняется лежа на спине. Необходимо убрать подушку из-под головы, вытянуть сомкнутые ноги, руки вытянуть вдоль туловища ладонями вверх, расслабить тело и смотреть прямо перед собой.

Затем начинайте растирать (ладонями или стопами) все участки тела, до которых можете достать, обязательно помассируйте ладони, пальцы, уши, стопы, на которые проецируются органы всего тела. Растирать кожную поверхность тела надо для того, чтобы активизировать работу лимфатической системы. Она находится под кожей и отвечает за выведение из организма продуктов обмена.

Затем сделайте потягивающее движение вперед пяткой левой ноги, не отрывая ее от постели, носок при этом тяните на себя (левая нога становится как бы длиннее правой). Оставайтесь в этом положении 5 секунд (считайте про себя: и раз, и два... до пяти), затем расслабьте стопу.

Сделайте потягивающее движение вперед пяткой правой ноги, не отрывая ее от постели, носок при этом тяните на себя (правая нога становится как бы длиннее левой). Оставайтесь в этом положении 5 секунд (считайте про себя: и раз, и два... до пяти), затем расслабьте стопу.

Сделайте такое же движение пятками обеих ног одновременно, оставайтесь в этом положении 5 секунд, не отрывая пяток от постели, затем расслабьте обе стопы.

Повторите упражнение 5 раз, считая потягивающее движение левой, правой и обеими пятками за 1 раз.

При выполнении этого упражнения дышите произвольно через нос.

Терапевтический эффект. Упражнение нормализует кровообращение в ногах, оказывает благотворное влияние на симпатическую нервную систему, способствует излечению пояснично-крестцового радикулита, люмбаго, помогает против судорог икроножных мышц, развивает выносливость, выправляет осанку.

2. Упражнения для пальцев рук и ног. *Исходное положение:* руки и ноги вытянуты вдоль тела.

Согнуть руки в локтях до вертикального положения. Сжимать и разгибать пальцы рук (50 раз). Вернуть руки в исходное положение.

Сжимать и разгибать пальцы ног (50 раз).

Согнуть руки в локтях до вертикального положения. Сжимать и разгибать пальцы рук и ног поочередно (50 раз).

Вернуть руки в исходное положение.

3. Упражнение для капилляров делается 2 раза в день — утром и перед сном.

Исходное положение: лежа на спине, под шейные позвонки кладется твердая подушка или валик. Поднять обе руки и ноги так, чтобы стопы были параллельны полу. В этом положении трясти обеими руками и ногами в течение 10—15—20 секунд.

4. Упражнения для профилактики скручивания позвоночника при подъеме с постели.

Исходное положение: ноги вытянуты, руки лежат вдоль туловища.

Согнуть левую ногу в колене и подтянуть ее к груди. Вернуть ногу в исходное положение.

Согнуть правую ногу в колене и подтянуть ее к груди. Вернуть ногу в исходное положение.

Согнуть обе ноги в коленях и подтянуть их к груди. Вернуть в исходное положение.

Согнуть обе ноги в коленях. Наклонить согнутые ноги влево с одновременным поворотом головы вправо. Вернуть согнутые ноги и голову в исходное положение. Повторить упражнение в другую сторону (ноги вправо, голову влево).

Согнуть одну ногу в колене, подтянуть ее руками к подбородку и вернуть в исходное положение. Повторить для другой ноги.

* * *

После выполнения этих упражнений можно вставать. Для этого лечь набок на краю постели, спустить ноги на пол, медленно сесть боком, а потом вставать.

Остальные упражнения комплекса выполняются после приема воды и посещения туалета (при необходимости можно прервать выполнение упражнений на посещение туалета).

* * *

Имейте в виду, от состояния позвоночника наше здоровье зависит больше, чем на 80%.

Далее предлагаются упражнения, которые восстанавливают не только позвоночник, но и все системы организма. Для их выполнения потребуется пластиковая бутылка (объем 1 литр), наполненная водой. Указанные упражнения, конечно, лучше делать на твердой поверхности, на полу.

Упражнения для позвоночника делаются лежа на спине. Каждое упражнение выполняется 4—5 раз.

1. Лечь на бутылку спиной таким образом, чтобы она была поперек позвоночника и находилась в области копчика. Согнуть ноги в коленях и, слегка покачиваясь вперед-назад, медленно перемещать бутылку вверх по позвоночнику. Для снятия болевых ощущений, которые могут возникнуть, нагрузка частично снимается с тела с помощью упора на локти.

Когда бутылка окажется под шеей, необходимо осторожно сделать повороты головой вправо-влево, откинуть голову назад, положить подбородок на грудь, осторожно вращать головой по часовой и против часовой стрелки.

При выполнении следующих упражнений бутылка находится под шеей.

2. Расслабиться, поработать ступнями ног, как педалями. Носки стоп поворачиваются к себе — от себя, поочередно для каждой ноги.

3. Стопу правой ноги (носок направлен вправо) положить на сгиб стопы левой ноги и делать движение правой ногой, как будто при этом хотите ею «оторвать» левую ногу. Повторить упражнение, повернув носок правой стопы влево, то есть правая стопа совершает поворот на 180 градусов с одновременным поворотом всей ноги, включая тазобедренный сустав.

Повторить упражнение, пытаясь левой ногой «оторвать» правую ногу. При этом нога вращается вместе с тазобедренным суставом.

4. Правую ногу повернуть пальцами вправо, а средней частью подошвы левой ноги помассировать икроножную мышцу и внутреннюю часть бедра. Потом повернуть правую ногу влево и пяткой левой ноги помассировать правую ногу снаружи. То же самое сделать для левой ноги.

5. Согнуть ноги в коленях, развести их в стороны и двигать сомкнутыми стопами вперед-назад. Тренируются все мышцы промежности, таза, ног, живота.

При выполнении упражнений 6—11 голова поворачивается в сторону, противоположную движению ног.

6. Поставить пятку одной ноги на подъем стопы другой и положить их вместе вправо, влево. То же самое сделать для другой ноги.

7. Поставить пятку одной ноги на середину голени другой и постараться положить обе ноги и колено согнутой ноги на пол в одну и другую стороны. Повторить то же самое для другой ноги. При этом крутится весь позвоночник.

8. Поставить пятку одной ноги на колено другой и положить их вместе вправо-влево. Голова поворачивается в противоположную сторону. То же самое сделать для другой ноги. Позвоночник при этом скручивается, как будто вы выжимаете белье. Делать так для одной и другой ноги по 3—5 раз.

9. Соединить ноги вместе, согнуть в коленях и положить их на пол слева, а голову справа (встречное движение). Затем положить колени слева, а голову — справа.

10. Расставить согнутые в коленях ноги пошире, и сначала одно колено положить внутрь на пол, а затем другое. Голова поворачивается в другую сторону.

11. Согнуть ноги в коленях и выполнить движения ногами, будто едете на велосипеде, сначала в одну сторону, затем в другую.

Эти упражнения восстанавливают работу всех суставов, исправляя сколиозы и кифозы, расслабляют весь мышечный каркас, позвоночник, кишечник. Ни один массажист не сможет вместо вас добиться такого результата. Только увеличивать амплитуду упражнений надо постепенно.

12. Подъем согнутых ног. Лечь на пол, вытянутые руки положить за голову, согнуть ноги в коленях. Согнутые ноги надо поднимать к груди на вдохе и опускать в исходное положение на выдохе. Количество выполнений зависит от подготовленности человека, но подряд делается 7—10 раз.

Упражнение позволяет укрепить мышцы живота и брюшного пресса.

13. Упражнение «хождение на лопатках». Выполняется лежа на спине. Согнуть ноги в коленях, приподнять немного правую половину тела и послать ее вперед, затем левую часть тела, помогая при этом немного согнутыми ногами. Вернуться в исходное положение. Таким ж образом «пройти» назад. Лопатки и плечи работают, как вертелы.

14. Упражнение «хождение на ягодицах» (см. с. 192). Для выполнения упражнения необходимо сесть на пол, ноги прямые (или чуть согнуты), прямые руки вытянуты перед собой. «Ходить» по полу надо 1—2 метра вперед-назад. Сначала левая часть тела (нога, ягодица приподнимаются) выдвигаются вперед, голова поворачивается влево, вытянутые руки — вправо. Затем все повторяется правой половиной тела и поворотом головы вправо, а вытянутых рук — влево.

Это упражнение рекомендуется делать для укрепления мышц таза, брюшной области, спины и нижних конечностей. Оно устраняет застойные явления в малом тазу, остеохондроз во всех отделах позвоночника, нормализует работу ЖКТ, устраняет патологию половых органов, энурез, выпадение прямой кишки, отеки ног, улучшает потенцию.

15. Приседания (см. рис. на с. 51). Встаньте рядом со стойкой (в спортивном зале), в квартире — рядом с торцом двери (держась за ручки), возле перил на лестничной клетке, у дерева — на природе и т. п. Ноги поставьте как можно ближе к стойке, двери, ступеньке, дереву. Возьмитесь руками за стойку, за ручки двери, за перила, за дерево и т. п. Отклоните тело на вытянутых руках и приседайте (руки все время остаются вытянутыми). Постепенно увеличивайте глубину приседания. Вначале надо приседать на 15—20 сантиметров и только затем уже увеличивать амплитуду, даже касаясь ягодицами земли. Количество приседаний надо постепенно увеличивать, доводя их в течение дня до 100 и более раз.

Это самый безопасный способ приседания. Он обеспечивает включение всех мышц тела и суставов, активизирует работу капилляров, которые находятся в нижней части тела. Обеспечивается мощный лечебно-профилактический эффект, избавление от заболеваний сердца (ИБС, гипертония, гипотония), кишечника, суставов (коксартроз, артроз) и т. д. Вскоре вы забудете о болях в сердце, восстановите работу суставов, в том числе и тазобедренных. Показано это упражнение и диабетикам.

16. Повороты туловища. Взять гимнастическую палку (можно использовать швабру или лыжную палку). Палку необходимо положить на плечи и, придерживая ее руками, совершать повороты верхней частью туловища из стороны в сторону (таз остается неподвижным). Количество поворотов постепенно довести до возраста человека. Выполнение упражнения позволяет быстро укрепить мышцы живота и уменьшить объем талии.

17. Отжимания. Для поддержания функций мышц и суставов, капилляров в верхней части тела пожилым людям рекомендуется делать отжимания. Их можно выполнять от любой устойчивой опоры. Отжимания от пола подходят для физически крепких людей. Для пожилых людей больше подходят отжимания от стола, от стула или от стены. Выбор зависит от уровня физической подготовки. Упражнение выполняется следующим образом: необходимо подойти, например, к стене, опереться на нее руками на высоте и ширине плеч, на вдохе согнуть руки в локтевых суставах и разогнуть их на выдохе.

Отжиматься надо сериями по 5—10 повторений в одном подходе, а между подходами для успокоения пульса сделать несколько шагов по комнате. Количество подходов постепенно увеличивать, чтобы общее количество отжиманий в течение дня равнялось возрасту, кроме отжиманий от пола (в пределах 10).

При выполнении этого упражнения разгружается верхний плечевой пояс, улучшается венозный отток крови от мозга и снижается нагрузка на легкие и сердце.

18. Упражнения для суставов. После 40 лет практически у каждого человека в суставах уже есть отложения солей, и они дают о себе знать болями и ограничением движений. В этих случаях для поддержания функций нужно для каждого из суставов выполнять сгибание-разгибание и вращения (для шеи делаются только медленные наклоны вперед-назад и к плечам, а также осторожные вращения по часовой и против часовой стрелки).

Большое значение имеет количество повторений упражнений. Рекомендуется повторять движение в задействованном суставе в течение дня суммарно столько раз, сколько лет человеку (в идеале). Такие движения способствуют усвоению кальция костями из синовиальной жидкости и препятствуют отложению солей в суставах. При выполнении физических упражнений одновременно с мышцами массируются связки, хрящи, диски, улучшается их кровоснабжение. Поэтому они дольше не теряют упругость и не стареют.

К рекомендованным упражнениям можно добавить любые другие, которые указаны в моих книгах и которые вам понравятся, соблюдая принцип: разгибание, вращение, растяжение.

19. Для повышения резервов сердечно-сосудистой и дыхательной систем рекомендуется бег и ходьба. Тренировочный эффект для сердца и легких достигается только при таком темпе, который учащает пульс до 110—120 ударов в минуту. Для пожилых людей больше подходит ходьба (желательно в парке). Для получения тренировочного эффекта ходить желательно не меньше часа и покрывать за это время не меньше 4—5 километров.

Преимущество ходьбы состоит в ее доступности и попутном решении проблемы лишнего веса за счет активизации в организме фермента липазы. Этот фермент расщепляет жир и превращает его в маленькие жирные частички, используемые затем мышцами и печенью.

Липаза активизируется гормоном физической активности — адреналином. Один час ходьбы приводит к циркуляции липазы в кровеносной системе в течение 12 часов. И все это время происходит сгорание жира в организме. Прогулки утром и вечером обеспечивают круглосуточную активность этого фермента, помогают очистить артериальную систему от отложений холестерина и избавляют организм от излишних жировых запасов.

Также липаза активизируется приемом воды перед едой. Один стакан воды обеспечивает сгорание жиров в течение 2 часов. Еще больший эффект получается от простой ходьбы. Можно также практиковать «шведскую» ходьбу с лыжными палками, использование которых позволяет задействовать все мышцы тела.

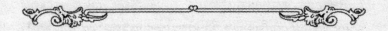

ОТДЫХ

Любое живое существо в Природе отдыхает, согласно заложенному коду жизни. И человека это касается в первую очередь.

У каждого человека свое представление об отдыхе. Вид и время отдыха человек выбирает сам в зависимости от своих возможностей и предпочтений. Но в любом случае *отдых не может быть качественным без* **полноценного сна**. Многие люди жертвуют сном и ложатся очень поздно ради просмотра телепередач или прочтения интересной книги. Но без полноценного сна человек не может быть здоровым.

В то время, когда я работал в космической отрасли, мы уделяли много внимания проблеме отдыха. В Институте медико-биологических проблем проводились исследования влияния биоритмов на человека. Оказалось, что человек должен жить по своим биоритмам, связанным с астрономическим временем. Он просыпается, когда встает солнце, и ложится спать, когда солнце садится и наступает темнота. Замечу, что Москва в то время жила по астрономическому времени.

Было определено, что при полете корабля у космонавтов сутки составляют не 24 часа, а 25,5 часов, то есть каждый виток «наматывает» время. Тогда в Космосе летали *А. Г. Николаев* и *П. Р. Попович —*

это 3—5 суток. Я отвечал за сбор информации со всех точек слежения за космонавтами, от Елизово до Евпатории, собирал данные и затем их анализировал. Мы тогда обратили внимание, что за каждый день полета набегали 1,5 часа, за 5 дней — отклонение от астрономического времени составляло уже более 7 часов. Это уже сказывалось на работе космонавтов и врачей.

В Институте все хорошо понимали, что шутить с временными сдвигами нельзя. Ведь это приводило к изменению природных биоритмов у человека, который занимался тяжелой работой в условиях невесомости.

Возник вопрос: что делать? По какому времени, астрономическому или орбитальному, должны жить космонавты в условиях невесомости? Мы спросили ученых Академики наук, они дали нам рекомендации и сказали, что организм может адаптироваться и неважно, на сколько часов меняется время. Организм выйдет на определенный уровень, и ничего с ним не будет. У меня было другое мнение.

Собрали совещание под председательством *С. П. Королева* для обсуждения этого вопроса: по какому времени жить и работать космонавтам. Я на этом совещании не был, но мое мнение было подшито в папки для обсуждения. И вот что мне рассказали:

«С. П. Королев открыл совещание. Он сказал, что возникла проблема, связанная с характером режима труда и отдыха космонавтов. Выступил один профессор из нашего Института, и между ними завязался диалог. Профессор сказал Королеву:

— Сергей Павлович, я жил в деревне.

— Ну и что?

— У нас были куры. Вот они днем разлетались, вечером собирались, говорили между собой, забирались на клеть, утихомиривались и спали. Солнце в это время заходило.

— И что?

— А вот когда солнышко всходило, они уже просыпались. Им петух уже говорит — пора вставать, кукарекает на заре.

— К чему вы это говорите? — спросил Королев.

— Понимаете, Академия наук дала рекомендации, что организм привыкнет к смене времени при полете космического корабля по орбите вокруг Земли. Так вот, мы подготовили рекомендации, что нужно жить по астрономическому времени.

Дали слово академику от Академии наук, который успокоил и сказал, что все будет в порядке, человек ко всему приспособится.

Свое мнение высказали космонавты. Они сказали, что уже чувствовали напряжение, было очень трудно работать при полете на 5 суток, а предстоят полеты на 17 суток, а потом на 30, 60.

Королев выслушал еще два-три суждения и сказал:

— Так, тот аргумент, что куры живут по закону Природы, очень серьезный. Его никто не имеет право нарушать. Принимаем закон, которого придерживаются куры.

И было принято решение, что космонавты должны жить по московскому времени, по астрономическому».

К чему я это рассказал? Я хотел рассказать об ответственном подходе к решению вопроса, который касался здоровья небольшого числа людей, космонавтов и врачей, а оказалось, что это касается всех людей.

Совсем недавно правительство принимало решения о переходе то на зимнее, то на летнее время, несмотря на то что врачи возражали, жители жаловались, особенно часто жаловались водители различных видов транспорта и дети, которые ну никак не хотели просыпаться на 2 часа раньше, равно как и засыпать.

А дело в том, что организм человека функционирует по астрономическому времени. А что получалось? У людей отбирали 2 часа сна, очень важных для здоровья. Работающих людей заставляли просыпаться в 6 часов утра, когда на самом деле по астрономическому времени 4 часа. С 4 до 6 часов утра вода в нашем организме снижает свою активность, она «спит». *Это самое важное время для оздоровления человека. Вода утихомирилась, очистилась настолько, насколько можно, она готовится к новому трудовому дню. Вот почему эти 2 часа перед пробуждением очень важны для состояния человека, особенно детей, пожилых людей и больных.*

Дети спали на занятиях в школе, они не могли нормально усвоить материал. Я уже не говорю о больных, для них это осложнения, обострения, новые заболевания. Это эксперименты над здоровьем людей без их согласия. Это фактически медленное, постепенное уничтожение человека с точки зрения отсутствия элементарного соблюдения природных условий его жизни, связанных с астрономическим временем.

Я всем говорю, что я молодой, здоровый, но возраст у меня достаточно большой. Я чувствовал эти 2 часа, мне физически их не хватало. Их не хватало всем людям, которые живут в России. Ни в одной стране мира такого нет. Побывав в Германии, я обратил внимание, что там в 22—23 часа все население, особенно в сельской местности, ложится спать, а в 4—5 часов встает, и это определено на государственном уровне. Только у нас узаконивают нарушения законов Природы, по которым мы, как часть этой природной среды, должны жить. Мы должны жить в гармонии с теми законами, которые существуют в Природе.

Как суточные ритмы влияют на жизнь человека? Они привязаны к астрономическому (географическому, местному) времени. Их надо учитывать, чтобы сохранить свое здоровье. Особенно это касается ночного сна, во время которого выделяется гормон *мелатонин*. Он вырабатывается в основном шишковидной железой — эпифизом, величиной всего 3—4 мм, — которая расположена в центре мозга. В Древней Греции эту железу называли «третьим глазом» и приписывали ей способности ясновидения и «размышления о переселении душ».

Особенностью мелатонина является то, что он на 70% вырабатывается в ночное время или при искусственном создании темноты. Например, при медитации с закрытыми глазами. Возможно также образование мелатонина в других органах: в сетчатке глаза, в печени, почках, надпочечниках, в лейкоцитах, в эндотелии желудочно-кишечного тракта и легких, в тимусе (вилочковой железе).

Мелатонин отвечает за несколько функций:

• рост человека, ибо люди растут только в ночное время;

• хорошее самочувствие, радость, хорошую работоспособность;

• репродуктивную и регенерационную системы;

• активацию перекисного окисления липидов (жиров) до их конечных продуктов;

• нормализацию работы желудочно-кишечного тракта, ибо в аппендиксе нашли до 70% энтерохромаффинных клеток, вырабатывающих предшественника мелатонина (по времени выделения) — серотонин, небольшое количество которого находится в таких труднодоступных органах, как мозг, сетчатка и тот же пищевой тракт, и который способствует снижению количества свободных радикалов, обвиняемых учеными во многих проблемах, связанных со здоровьем;

• контроль за деятельностью органов иммунной системы — тимуса и селезенки, в которых вырабатываются Т-лимфоциты (Т-хелперы, распознающие патологические клетки, и Т-киллеры, уничтожающие их);

• депрессию, что связывается с метаболическим синдромом, то есть нарушением всех обменных процессов, увеличением веса и многими сопутствующими заболеваниями;

• адаптацию, процесс приспособления к изменяющимся условиям внешней среды;

• проведение нервных импульсов, что связано с памятью, поведением, обучением.

С возрастом выработка мелатонина, так же как и всех секреторных гормонов, снижается, особенно на фоне малого приема воды, и все явления, связанные с процессами старения, только прогрессируют.

Но главное заключается в том, о чем мало кто говорит. Поджелудочная железа, вырабатывающая «дневной» гормон инсулин, должна в 21 час вместе с желудком «спать» и передать эстафету «ночному» гормону мелатонину. Если вы поели позже 19 часов местного времени, то поджелудочная железа продолжает работать, и время начала работы эпифиза смещается, он начинает работать в 22—23 часа.

Чем больше будет сокращаться время работы эпифиза, тем более будут усугубляться все указанные изменения. Главными из них являются недостаточность сна, разбитость, депрессии, снижение работоспособности и начало любых расстройств, а в последующем и заболеваний, в первую очередь диабета.

В настоящее время ученые многих стран мира считают главной причиной старения работу эндокринной системы, в основе которой лежит ее ослабление. Главную роль в этом играет эпифиз, вырабатывающий мелатонин. Вместе с тем, всей системой питания этот орган постоянно подвергается стрессам из-за того, что нарушается его циркадный ритм «сон — бодрствование», время для выработки мелатонина постоянно уменьшается, и в результате возникают заболевания. Врачи же их лечат, как любой технарь свою машину. Особенно это касается расстройства половой функции как у мужчин, так и у женщин.

Следовательно, есть надо максимум в 19 часов местного времени и ложиться спать в 22—23 часа, чтобы позволить мелатонину делать свою работу, от которой зависит наше здоровье и долголетие.

Для облегчения засыпания очень важен выбор времени для отхода ко сну, так как у организма есть моменты максимума и минимума активности. Засыпание происходит гораздо легче, если по времени оно приближено к минимуму активности. В ночное время таких минимумов два: примерно в 21.30 и в 1.30. Между ними расположен максимум активности. Если человек ложится спать до 22.30, то он засыпает легче и его сон будет полезнее.

Важно знать, что время сна до полуночи в 2 раза полезнее, чем после 24 часов. Об этом еще много лет назад писал академик *Иван Петрович Павлов*. Суммарное время сна можно сократить без ущерба для здоровья, если ложиться до полуночи.

Итак, перенос времени самым негативным образом влияет на выработку мелатонина, и это сказывается на здоровье, но не сразу, через года. Особенно негативно это влияет на здоровье детей, ведь они интенсивно растут, а для роста нужен мелатонин, который вырабатывается только в темноте (с закрытыми глазами).

В настоящее время мелатонин за рубежом выпускается в таблетках и является единственным препаратом, отпускаемым без рецепта. С одной стороны, это хорошо, прием мелатонина позволяет устранить его дефицит. С другой стороны, прием искусственно созданного мелатонина постепенно снижает функциональную способность эпифиза вырабатывать собственный физиологический мелатонин, который является регулятором всей гормональной системы организма.

Таким образом, перевод организма на суррогат натурального мелатонина рано или поздно приведет к возникновению различных функциональных расстройств и патологий, как это случилось с антибиотиками. Если в 1940-х годах создание пенициллина позволило решить много проблем с воспалительными и гнойными заболеваниями, то в настоящее время препараты этого класса вызывают такие заболевания, с которыми официальная медицина ничего сделать не может. За рубежом эти препараты отпускаются людям по рецептам, а в России их можно купить без рецепта в любой аптеке.

Есть такое понятие «десинхроноз». Это дисбаланс биоритмов в организме человека. Он возникает при резкой смене режима дня, злоупотреблении алкоголем, суточном графике работы, при перелете через несколько часовых поясов, переходе на летнее или зимнее время (переводе стрелок часов) и т. д. Симптомы: расстройства сна, головные боли, тревожность, снижение внимания и другие. Пожилым, больным и ослабленным людям на адаптацию к новой матрице ритмов и условий требуется больше времени, чем молодым и здоровым.

ИНФОРМАЦИЯ К РАЗМЫШЛЕНИЮ

Недавно Международное агентство по изучению рака (IARC) решило включить работу в ночную смену в список факторов риска, способствующих развитию рака... Работать надо днем.

Решение о включении ночной работы в список факторов онкологического риска принято на основании долгих научных исследований. Одно из них провели японские ученые из Университета гигиены труда и санитарного состояния окружающей среды. Они наблюдали 14 тысяч человек в течение 10 лет. И убедились, что у мужчин, работающих по скользящему графику, рак простаты развивался в 4 раза чаще, чем у тех, кто работал только в дневные смены.

Специалисты из датского Института эпидемиологии рака обследовали 7 тысяч женщин в возрасте от 30 до 54 лет. Оказалось, что у женщин, проработавших в ночную смену не менее 6 месяцев за свой трудовой стаж, вероятность возникновения опухолей молочной железы была на 50% выше.

У людей, работающих в ночные смены, выше и риск развития заболеваний сердца. Ученые Миланского университета провели обследование 22 мужчин-металлургов, у которых количество ночных смен менялось каждую неделю. Им провели суточное наблюдение за работой сердца. Электрокардиограмма показала, что ночная работа не приводила к необходимому повышению частоты сокращений сердца. Не происходило также достаточного повышения активности нервной системы и изменения гормонального фона. Получается, что, хотя весь организм металлурга бодрствовал, сердце и сосуды функционировали так, как будто он продолжал спать. А это значит, что рабочая нагрузка, как физическая, так и нервная, в эти часы была непосильной для них.

Руководитель исследования *Рафаэлло Фурлан* считает, что организм, запрограммированный на понижение частоты пульса в ночное время, не успевает адаптироваться к ночным нагрузкам, что и является причиной развития болезней сердца. Однако пока ученым неизвестны конкретные механизмы возникновения этих заболеваний. Они предложили несколько гипотез, объясняющих плохое воздействие ночной работы на здоровье.

1. Самая простая. Человек — существо дневное. Вынужденная необходимость работать ночью и, соответственно, спать днем нарушает его суточные биологические ритмы. На это организм и реагирует болезнями.

2. Самая таинственная. В темные часы в нашем организме вырабатывается гормон сна — мелатонин, который не только регулирует эти самые суточные и прочие ритмы, но и является регулятором всех остальных гормонов. Если ночью не спать, соответственно, вся регуляция нарушается.

3. Самая грустная. Ночной образ жизни тяжел сам по себе. У жителей полярных областей нередко возникает так называемый синдром полярного напряжения, который вызывается не только нехваткой витаминов, суровостью климата, но и долгой темной зимой и чересчур светлым летом. «Неправильное» освещение — как недостаток солнечного света, так и его избыток — тяжело переносится организмом. Развивается депрессия, нередко скрытая. А это уже само по себе провоцирует развитие разных болезней...

Серые клеточки мозга живут по часам. Биоритм — это механизм, при помощи которого наш организм работает циклически в соответствии с изменениями факторов внешней среды: времени года, светлого и темного времени суток, глобальных ритмов и т. д. Суточные ритмы отвечают за колебания температуры тела, продукции гормонов, активности головного мозга и многих других процессов в нашем организме. Эти процессы протекают буквально в каждой клетке. «Клеточные часы» всегда идут в ритмах целого организма. Электрическая активность мозга, к примеру, всегда растет в период бодрствования и снижается в период покоя и сна.

Но на этом вредные последствия ночной работы не заканчиваются. По данным американского Национального института профессиональных болезней, самые частые медицинские жалобы людей, работающих в ночные смены: тошнота, несварение желудка, боли в брюшной полости, понос и потеря аппетита. Кроме того, эти люди втрое чаще других заболевают язвой желудка и язвенными колитами.

Причина не только в том, что ночная работа мешает высыпаться, считает профессор Мичиганского университета *Клэр Карузо*, хотя здоровый сон — необходимое условие желудочного благополучия. Такой режим расстраивает и внутренние биологические часы организма, синхронизирующие процессы потребления и переваривания пищи. И наконец, ночные смены часто изолируют работника от семьи и друзей и создают дополнительный стресс, к которому особенно чувствительна система пищеварения.

Вот и делайте выводы...

Хочу рассказать об одной моей пациентке, страдающей болезнью Паркинсона. Так как она боялась спать в темноте, на прикроватной тумбочке у нее всегда горел ночник, а это приводило к депрессии, плохому, прерывающемуся сну, ухудшению состояния. Я посоветовал ей ужинать не позже 19 часов, не смотреть телевизор, а в 23 часа гасить свет и ложиться спать.

И что вы думаете, через 2—3 месяца симптомы болезни Паркинсона стали ослабевать и исчезать. К тому же если раньше моя пациентка выпивала не больше 500—600 мл чистой воды, то теперь она выпивала за день больше 2 литров. Также я посоветовал ей почаще в течение дня выполнять приседания (см. с. 51). Практика выполнения этого упражнения людьми, страдающими сердечно-сосудистыми заболеваниями, нарушением обмена веществ, показывает, что постепенное увеличение таких приседаний от 5—10 до 300—500 в течение дня избавляет пациентов от многих заболеваний. Это связано с тем, что вся работа сердца переключается на периферическое сердце, то есть капилляры и сосуды, подающие кровь снизу вверх, обеспечивая нормальную циркуляцию всей крови и всей жидкостной системы организма.

Как настроить биологические часы, если у вас десинхроноз? Надо вести размеренный образ жизни. Прием пищи, работа, отдых, сон должны быть регулярными и, по возможности, в одно и то же время. Желательно избегать переутомления (умственного, физического), недосыпания и вредных привычек. Не употреблять острую пищу и алкоголь на ужин перед сном.

Можно использовать светолечение — соляризацию, обеспечивать достаточную освещенность днем, если погода пасмурная (*например, включенная люстра — 100 ватт на расстоянии 2—3 метров или настольная лампа — 40—60 ватт, рядом, в полуметре).*

Необходимое количество теплового (*в красной и инфракрасной частях спектра, в диапазоне частот от 500—700 нанометров до микрометров*) излучения в дневное и раннее вечернее время обеспечивается обычной лампочкой накаливания достаточной мощности, размещенной на близком расстоянии (особенно актуально при пасмурной, ненастной погоде).

Использовать звонок электронного будильника для фиксации своего внимания *всегда в строго определенное время,* по которому надо выполнить определенные действия (физические или мысленные), освоить современные методы аутогенной тренировки.

Очень важна для живых организмов фиксация момента восхода солнца утром на рассвете, независимо от облачности. *В эти мгновения происходят интенсивные изменения на клеточном и энергетическом уровне, естественная синхронизация биоритмов с природными ритмами.*

Как лучше отдыхать в течение дня? Желательно, чтобы *отдых был активным и совмещался с выполнением физических упражнений.* Многие молодые люди занимаются различными видами спорта в свободное от работы время. Однако в настоящее время такие занятия сопряжены с большими материальными затратами. *Для пожилых людей доступны пешие прогулки. Желательно совершать их регулярно на свежем воздухе.*

Внимание! Необходимо помнить, что физически пассивный образ жизни всегда предшествует развитию диабета 2-го типа.

Многие люди считают отдыхом после работы просмотр телепередач в течение длительного времени. Также много времени проводят перед телевизором пенсионеры. А дети и молодые люди тратят часы на компьютерные игры с использованием различных устройств (компьютеров, игровых приставок и мобильных телефонов). Такой вид отдыха опасен для здоровья. На экране перед человеком очень быстро сменяются изображения. К таким нагрузкам мозг человека физиологически не готов. Были проведены исследования для определения безопасного времени проведения перед этими устройствами в течение дня. Установлено, что это время составляет 3 минуты на каждый год жизни человека до 25-летнего возраста, то есть не более 75 минут в день. Это максимальное время и для людей старше этого возраста. Дольше «отдыхать» таким образом не рекомендуется, так как это приводит к нарушению работы мозга. Это надо знать родителям маленьких детей, которые часто оставляют их перед работающим телевизором, чтобы иметь возможность заниматься своими делами.

Также родителям надо учитывать, что если компьютерные игры содержат сцены насилия, то это вредит психике детей. В целом надо констатировать, что с развитием техногенной цивилизации человек все больше становится рабом технических достижений. Расширение областей применения вычислительной техники и различных мобильных устройств в быту порождает все увеличивающийся объем используемой человеком информации, которую его мозг уже не в состоянии переработать. Это приводит к возникновению стрессовых ситуаций, ухудшению самочувствия, плохому сну и т. п. и, как следствие, к возникновению болезней.

Рекомендуется в течение дня делать регулярные перерывы для отдыха мозга и глаз от воздействия поступающей информации. Для этого можно обратиться к опыту японцев, которые во время таких перерывов смотрят на плавающих рыбок в аквариумах, любуются на небольшие искусственные водопады, устанавливаемые в офисах.

ЗАЧЕМ ЧЕЛОВЕКУ ОТПУСК

Теперь давайте разберем такой аспект нашего отдыха, как отпуск. Он тесно связан с состоянием нашего здоровья.

Считается, что ВКР сотворил Вселенную за 6 дней, а 7-й отвел на отдых. Отсюда очевидно, что и человечество пользуется семидневной неделей.

Когда-то у нас был один день отдыха. В недавнем прошлом ученые добавили для отдыха еще один день в неделю. Затем посчитали, что необходимо предоставить людям длительный отпуск: до трех и более недель. Для чего это нужно? В первую очередь, чтобы разнообразить обычную монотонную жизнь (кухня, работа и т. д.) Отпуск снимает с людей психологическую нагрузку. Все заботы в это время берут на себя другие люди.

К сожалению, во время отпуска ваша привычка есть больше, чем нужно, проявляется во все «красе». Можете мне поверить как физиологу, клиницисту, практику, что вы приехали за здоровьем, а уезжаете, скорее, больными. Ведь там и компании с шашлычком и обильным возлиянием алкогольных напитков. И обильный шведский стол — не пропадать же оплаченному добру. И «обязательные» курортные романы (а как же без них? Отдых не отдых... И частенько дома приходится лечиться не только вам, но и всей семье. Ничего не скажешь, хорошо отдохнули...). И получается, что поехали вы за здоровьем, а вернулись ходячей медицинской энциклопедией.

Сейчас популярен отдых в экзотических странах. Не забывайте, что вы не привыкли к местной пище, зачастую излишне острой. Выпивайте за 5—10 минут до еды стакан теплой чистой воды и съедайте только одно блюдо, например, овощной салат. Причем все тщательно пережевывайте, пока не исчезнет вкус пищи. Не переедайте, не жадничайте. И солнце дозируйте. Помните, что ультрафиолет полезен только в определенных частотах. То есть не следует загорать на пляже до изнеможения. Не забывайте, что вы живете в других климатических условиях. Очень часто из-за пренебрежения этими правилами вернувшиеся из заграницы люди начинают болеть, а ведь ехали отдыхать...

В советские времена большинство граждан отправлялись в «жемчужные» края России, например к Черноморскому побережью. Да, этот климат помогает и расслабиться, и отдохнуть. Но, к сожалению, там живут такие же люди, они так же больны, как и вы, потому что тоже нарушают природные законы.

Пожалуй, никто и никогда не говорил то, что я скажу сейчас. Государственная система, ни прежняя, ни тем более современная, не ставит перед собой задачу сделать человека здоровым. Этот вопрос не рассматривается в больницах, санаториях, и, естественно, у человека в течение года от однообразной жизни накапливается утомление. Появляются некоторые признаки нездоровья. Конечно, на отдыхе у человека ослабевает эмоциональное и психологическое напряжение. Но как он был болен до отпуска, так и остался.

Дело здесь вот в чем. ВКР, создавая живых существ, расположил пищеварительный тракт горизонтально, и даже если человек переедает, то напряженности всей системы нет. Другое дело, когда человек 2/3 времени суток находится в вертикальном положении. Известно, что внутри человека все органы размещены компактно. Каждый занимает свою площадь, только желудок может временно увеличиваться в 1,5—2 раза, о чем знают все его «соседи». Когда мы употребляем больше пищи, чем надо, стенки желудка истончаются и он может смещаться вниз, сжимая другие органы. Помимо этого, пища опускается вниз, затем поднимается справа вверх по горизонтали и слева вниз. В случае ухудшения моторики этого конвейера переработка пищи задерживается, что создает напряженность работы всей системы, и в результате организм зашлаковывается.

Представьте себе, что у вас есть машина, которая обязательно должна проходить техосмотр. Причем вы требуете гарантийный ремонт. Ваш организм — это тоже машина, более совершенная, уникальная, и вы ни разу не задумывались о том, как она работает внутри. Этому вас никто не учил, потому что здоровым вы никому не нужны. Вас используют как разменную монету, берут у вас все, что можно, и не дают никакой гарантии. А если что-то с вами случится, родным объяснят: вы же видите, мы делали все, что возможно, а он вдруг взял да помер.

Такая ситуация сложилась не только в РФ, но и в других странах. Я был во многих клиниках Европы: обещания оздоровления, безупречный процесс реабилитации, но при этом в основном это только бизнес. Мы вам предлагаем оздоровительную систему, которая уже признана во всем мире. Запись в наши центры закончена 2017 годом. Назовите еще подобный центр не только в РФ, но и в мире. Создаваемый в Анапе на базе пансионата «Черное море» оздоровительный центр Неумывакина поможет вам прожить столько, сколько ВКР отпустил человеку (чело — лоб, мыслящая голова, век — в космическом понимании равен 100 годам по земному летосчислению).

Человек забывает, что профилактика нужна в первую очередь ему. Существующая узаконенная система питания — это нарушение всего физиологического процесса. Порой человек считает себя практически здоровым, но на самом деле у него есть проблемы со здоровьем, которые компенсируются за счет резервных возможностей организма. На основании многолетнего опыта космического врача я заявляю, что каждый человек представляет собой ходячую медицинскую энциклопедию, и заболеет он или нет — это дело случая. Вот почему вместо отдыха человеку нужна профилактическая очистка организма от шлаков как минимум раз, а то и два раза в год, чтобы сохранить свое здоровье.

В созданных мной оздоровительных центрах за 3 недели пребывания в стационарных условиях вы избавитесь от проблем со здоровьем, о которых вы еще не догадываетесь. Избавитесь от болезней, с которыми не может справиться официальная медицина. (Имеются противопоказания — заболевания I и II группы, 4-я стадия рака.) И, что не менее важно, в наших оздоровительных центрах вы избавитесь от лекарственной зависимости.

В наших оздоровительных центрах не лечат. Здесь вас учат быть здоровыми. А пребывание на Черноморском побережье будет способствовать лучшему оздоровлению. Вот каким на самом деле должен быть ваш отпуск. В противном случае у вас остается одна дорога — к врачу, который не несет ответственности за ваше здоровье (кроме срочных случаев). Кстати, мой коллега *А. А. Алексеев* написал прекрасную книгу «Врачи — заложники смерти». На основе большого статистического материала он доказал, что врачи не только в России, но и во всем мире тоже болеют и умирают, может быть, чаще простых смертных.

Конечно, смена мест и более активное проведение отпуска желательны. Но главной вашей задачей должно быть поддержание здоровья вашего пищеварительного тракта. Как я его, извините за выражение, назвал, «помойного ведра», которое всегда должно быть чистым, и мы вам в этом поможем.

ПОСТУПКИ И НАМЕРЕНИЯ

ЧЕЛОВЕК УПРАВЛЯЕТ
СВОЕЙ СУДЬБОЙ И ЗДОРОВЬЕМ

В настоящее время психологи в области иммунологии находят все больше подтверждений тому, о чем говорили древние врачи и мудрецы на протяжении многих лет. Например, они отметили влияние положительной визуализации, а также ментальных убеждений (верований) на болезни, в частности, на развитие онкологических заболеваний. У тех, кто «стоически» принимает свою болезнь, в 75% наблюдаются метастазы, а в 38% — летальный исход, но эти цифры снижаются до 35% и 10% для тех, кто борется с болезнью с помощью психотерапевтических методов, таких как визуализация, медитация, духовная практика.

Эффект улучшения от использования этих методов отмечен примерно у 40% пациентов. Все эти наблюдения подтверждают тесные реципрокные (обратные, возвращающиеся) связи между иммунной системой и мозгом. В настоящее время в области иммунологии и психотерапии проводится большое число многообещающих исследований.

Человек оказывается за все в ответе, и в первую очередь за свои поступки, мысли, от которых может быть хорошо или плохо людям и всему, что их окружает. А от того, какую энергию несут эти поступки и мысли, зависит непосредственно здоровье самого человека.

Работая с эмоциями, освобождая себя от негативного восприятия, вы в этот момент меняете свою судьбу в лучшую сторону. Нет, лучше сказать так: в этот момент вы увеличиваете в своем будущем позитивные сценарии вашей жизни. Именно так. Прямо сейчас, прямо сегодня вы можете начать влиять и прорисовывать свое будущее в позитивном ключе.

Но все требует контроля. Ваше будущее тоже нуждается в том, чтобы вы его контролировали своим отношением к нему, своим созиданием. Тренируясь в позитивном мышлении, в созидании, вы добиваетесь того, что ваши мысли и слова становятся сильнее. Точно так же, как человек, длительное время живущий в печалях и несчастьях, может стать кликушей неприятностей для других. Тяжелые вздохи и ремарки таких людей по поводу и без вполне могут негативно отразиться на будущем других.

Этот же механизм усиления мысли и слова работает и позитивно. Это один из инструментов человека, а как он его использует — выбор его самого.

Все начинается в индивидуальном мире каждого от него самого. От него самого и зависит заканчивать идущий сценарий жизни или продолжать его. Это очень важно в аспекте развития заболеваний, в том числе и онкологических.

В любой момент жизни состояние тела человека — это воплощенная история пережитых и переживаемых им эмоциональных и физических травм, накопленного жизненного опыта, взглядов и представлений, недомоганий и заболеваний. Наше «я» выражено как в психике, так и в теле, и оживить душу можно, воздействуя на телесные процессы. Поддерживать состояние телесности в надлежащем виде и жить в чистом теле, как в живой системе, — это правильный подход к жизни на Земле. Это способ быть здоровым. Возможность победить, казалось бы, неизлечимые болезни.

Всемирно известный психолог *Луиза Хей* на основе опыта лечения многих пациентов вывела определенные закономерности между мыслями и болезнями. Задумайтесь, не соответствует ли это вашему самочувствию?

• Головная боль возникает, когда мы чувствуем себя неполноценными или униженными.

• Мигрени мучают тех, кто накопил много раздражения.

• Болезнь горла — свидетельство того, что мы боимся постоять за себя, что-то попросить или чувствуем озлобленность и не можем про это говорить.

• Заболевания спины возникают из-за чувства недостаточной поддержки. Нужно научиться доверять жизни и Всевышнему.

• Проблемы с легкими — это нежелание или страх жить полноценной жизнью.

• Сердечные проблемы — это недостаток любви и радости в жизни.

• Болезни желудка — это неумение «переваривать» идеи и жизненные ситуации.

• Камни в желчном пузыре — накопление горьких мыслей.

• Болезни ног — это страх свободно продвигаться по жизни.

• Ревматизм — критическое отношение к себе и другим.

• Астма — это ощущение бесправности.

• Излишний вес — незащищенность.

• Рак — глубокое накопление обиды, которая начинает буквально съедать человека.

Кроме того, себя надо любить. Это значит, прежде всего, уважать себя как личность. Методы, которые предлагает *Луиза Хей*, проверены на практике многими людьми. Методика достижения успеха *Луизы Хей* очень проста в выполнении. Главное, в нее поверить и не бросать практиковать. Что мы заказываем Господу Богу, то и получаем. Если думаем: «Я — неудачник», то неудачи нас будут преследовать, и наоборот, если думать: «У меня существует масса возможностей для решения этой проблемы», можно с уверенностью ожидать позитивного решения любого вопроса.

Прежде всего нужно избавиться от всех негативных мыслей, таких как: «Я никому не нужен», «Неудачи преследуют меня», «Я недостаточно образован», «Я не могу иметь того, что хочу» и всех других. Необходимо принять себя таким, какой вы есть. На самом деле мало кто может сказать это о себе. Поэтому каждое утро, стоя перед зеркалом, нужно несколько раз повторять следующие аффирмации:

• *Я люблю себя.*

• *Я хочу освободиться от скрытого желания быть недостойным.*

• *Я достоин всего самого лучшего в жизни, и я разрешаю себе принять это с любовью!*

• *Я верю в то, что владею всеми необходимыми знаниями, я верю, что обо мне заботятся, даже если я не владею ситуацией.*

• *Я — единое целое с силой, создавшей меня. Я — в безопасности. В моем мире все прекрасно.*

Главное, чаще повторяйте эти фразы. И надо делать это до тех пор, пока чувство любви к себе не поселится в вашей душе. Это очень важно, так как без этого не придет ни уверенность в себе, ни вера в то, что вы достойны всего хорошего. Запомните, что само одобрение и само принятие — ключ к продолжительным переменам в вашей жизни.

Гоните прочь мысли, которые делают вас несчастливым, делайте то, что вам нравится, встречайтесь с людьми, с которыми вы хорошо себя чувствуете. А если к вам пришла грустная мысль, повлекшая грустное чувство, измените ее, и тогда исчезнет грустное чувство. Чем больше в человеке любви, тем жизнеспособнее его организм, тем меньше он подвержен опасным болезням.

Наш организм — это система взаимодействующих органов. Органы связаны системами в единое тело, которое само знает, куда и сколько подать веществ, гормонов, витаминов и других «аминов». То есть тело человека — это самостоятельная структура, которая настолько развита и отлажена за мириады лет существования, что хозяин тела уже и не заботится о том, как эти системы работают. И поэтому любое вмешательство в работу системы дорого обходится тому, кто не умеет сам управлять системой тела, которую он получил как ДАР, как подарок Природы.

Любая религия призывает человека к прощению. *Всепрощение — это призыв не только простить ближнего, но и простить самого себя, что зачастую бывает намного труднее.* Если человек не простил себя, он и не знает, что такое любить себя. Если человек не любит себя, он не сможет полностью следовать заповеди «Возлюби ближнего своего как самого себя». И, как результат, при нелюбви к ближнему человек оказывается в противоречии с главнейшим законом мироздания: «Возлюби Господа превыше всего». *Луиза Хей* призывает всех к любви, считая, что ей выпала огромная честь передать людям то, что пришло к ней свыше.

Когда мы любим себя, одобряем себя, свои поступки и остаемся самими собой, наша жизнь становится прекрасной и удивительной. Любить себя — значит праздновать сам факт существования своей личности и быть благодарным Богу за свою жизнь.

ЧЕЛОВЕК ДОЛЖЕН ЖИТЬ ПО ЗАКОНАМ КОСМОСА

Незнание Космических законов не освобождает от ответственности, а знание их ее увеличивает.

Вот некоторые из этих законов, вдумайтесь в них:

• Чем больше отдаешь, тем больше получаешь.

• Расслабление есть жизнь, а напряжение — болезнь.

• Надо всячески избегать любого дела, зависящего от чужой воли; но то, что зависит от твоей воли, надо выполнять обязательно.

• Помощь только тогда приносит пользу, когда она желанна; никогда не навязывайся.

• Место, где ты находишься, сделай приятным для себя и для других.

• Никакие богатства в этом мире не копи, ибо в мире мертвых они бесполезны.

• Идущий — устоит, остановившийся — упадет.

• Злость есть источник болезни, не допускай ее в сердце.

• Злость, ненависть и ревность — самые низшие качества человека.

• Стремись к знанию, смотри пристально — и поймешь причину происходящего.

• Если энергия выпущена (мысль), она должна себя реализовать (закон наполнения — в Космосе нет пустого места).

• Мы есть то, что мы едим; чем больше мяса — тем ближе к смерти.

• Не можешь — не обещай; пообещал — выполни; невыполнение обещаний отражается на нашем здоровье.

• Не просят — не делай.

• Не держи злых мыслей: мысль — бумеранг, она вернется к тебе удесятеренной.

• Если тебя перебивают во время разговора — молчи: этот человек горд и тебя не слышит.

• Никогда не сомневайся в том, что делаешь; начатое дело доводи до конца.

• Того, что не желаешь себе, — не желай другим.

• Тебе надо — ты и делай; не перекладывай ответственность за выполнение чего-либо на другого, если это нужно именно тебе.

• Праздник для души устраивай себе сам.

• Нет неизлечимых болезней, есть неизлечимые люди.

ОТ СОСТОЯНИЯ ПСИХИЧЕСКОЙ ЭНЕРГИИ ЗАВИСИТ ЗДОРОВЬЕ

Человек представляет собой энергоинформационную систему, которая складывается из положительных и негативных реакций.

Своими мыслями мы привлекаем к себе то, чего боимся: боимся заболеть — заболеем, боимся воды — утонем, боимся быть обворованным — будем ограблены, боимся смерти — умрем.

Борьба со злом — это в первую очередь борьба со страхом... Бороться со злом очень просто. Есть такое чувство, как любовь, она удивительным образом срабатывает против зла. Не надо на зло реагировать, не поддавайтесь на эмоции, не переходите на резонансную волну зла, ведь этого как раз и добивается злой человек. Пожалейте его, мысленно, как юродивого, сдержитесь, и злобное чувство к вам не пристанет, а как бумеранг вернется к тому, кто его послал, и хлестнет плохого человека.

Если вы расслабились, раскрылись эмоционально и чувственно, то злой человек просто подключится к вам и будет, как вампир, качать из вас энергию, чего он и добивается.

Противодействию научиться трудно, но можно. Положительные реакции — это дружба, любовь, радость, чувство удовлетворения жизнью, творчество, реализация своих возможностей и своей миссии на Земле, которые сами по себе благотворно влияют на здоровье. Отрицательные реакции — это обида, страх, раздражение, гнев, жадность, ревность, унизительно-оскорбительные отношения к мужчинам и женщинам, взаимные обвинения, ложь, подозрение, презрение, неуважение к детям, к молодежи и, как результат этого, — неуважение к старшему поколению, ругань и ненормативная лексика, требование, что вам кто-то что-то должен делать, хотя никто никому ничего не должен. Это ваши проблемы.

Как показали результаты проведенных исследований, положительные эмоции ощелачивают организм, то есть оздоравливают человека, а отрицательные эмоции — закисляют организм и, следовательно, способствуют возникновению разных заболеваний, в том числе и онкологических.

Произнесенные слова и фразы сказываются на состоянии нашего здоровья, кармы и жизни.

• Слова «Не хочу тебя видеть» приведут к заболеванию глаз или к слепоте.

• Слова «Не хочу тебя слышать» — к проблемам со слухом.

• Слова «Я не хочу ходить» — к болезни ног.

• Если вы будете говорить: «Ничего себе», то ничего вам и не будет; надо говорить: «Ух ты!», «Вот это да!» или «Ну и ну!»

• Если вы говорите: «Я хочу, чтобы у меня (у тебя) было...» — значит то, что вы хотите, уже было (прошедшее время, и значит, этого уже не будет).

• «Когда-нибудь, может быть, если бы» — это фразы сомнения и неуверенности, они перекрывают энергию человеку.

• Произнося «спасибо» (подразумевает «Спаси Бог»), мы перекладываем ответственность за все на Бога. Но есть пословица: «На Бога надейся, а сам не плошай». Это означает, что человек должен отвечать за себя сам.

Вместе с тем, если мы говорим «благодарю», то на тонком плане открывается поток изобилия, как на нас, так и на того, кому мы это говорим. Вибрация данного слова схожа с вибрацией Безусловной Любви. Энергия Благодарности соответствует Энергии Благополучия, то есть Благодарность= Благополучию, и как результат — улучшение здоровья и качества жизни. Поэтому надо говорить «благодарю».

В случившихся бедах и неприятностях человек все сваливает на других людей и Бога. На самом деле виноват сам человек — это бумеранг его мыслей, его слов и его действий. Что посеял, то и жнешь.

Все пословицы — это заповеди Первотворца, поэтому они до нас дошли.

«Каждый наш шаг что-то производит в этом Мире» — гласит заповедь Первотворца.

ПОСЛЕСЛОВИЕ

В предложенном вам справочнике я уделял основное внимание телу человека, но не голове. Оказывается, головой занимаются около 30 специалистов (их больше 100), и каждый предлагает свои способы и методы лечения болезни Альцгеймера, Паркинсона, Бехтерева, рассеянного склероза, шизофрении, онкологических заболеваний, болезней глаз, зубов, лор-органов и т. д.

У меня возникли проблемы с глазами. Я поинтересовался, как работают офтальмологи, на чем основана вся офтальмология. Оказалось, что такое заболевание, как глаукома, не имеет никакого отношения к анатомическому строению глаза. В голову поступает достаточно крови, обеспечивающей питание всех структур. Но с возрастом из-за венозной недостаточности нарушается отток отработанной крови. В результате нарушаются обменные процессы, повышается внутричерепное и внутриглазное давление, и глаза «вылезают на лоб».

Получается, что все в организме взаимосвязано и все, о чем вы узнали из книги, имеет непосредственное отношение к голове. Только необходимо понять, что никто вам в поддержании вашего здоровья не поможет, в том числе врачи. Начинать беспокоиться о своем здоровье надо тогда, когда у вас ничего не болит, и независимо от возраста.

Человек представляет собой «помойное ведро», в котором разделяются следующие фракции: сверху чистая вода, затем более сгущенный слой, затем более плотный, с песком, камнями и твердыми остатками. Человек — это конвейерная система, где в каждом цехе должна происходить только ему свойственная работа. Нарушение работы этого конвейера приводит к тому, что работа всей канализационной системы, в том числе толстого кишечника, нарушается. И пока вы не очистите «помойное ведро», не создадите оптимальных условий для любого органа, здоровым вы не станете.

Мой многолетний опыт врача, ученого, «подпольного министра здравоохранения» (1959—1990) позволил мне разработать оздоровительную систему для космонавтов и создать космическую больницу. Позволю себе высказать следующее суждение о перспективе развития нашего здравоохранения. Несмотря на предлагаемую модернизацию, модификацию, ориентировку на высокотехнологическое медицинское оборудование, стандарты лечения бесперспективны. Сегодня развилось много направлений: официальная медицина, альтернативная, комплементарная, интегративная. Но все они являются следствием традиционной народной медицины.

В течение 25 лет занимаясь воссозданием средств и методов традиционной народной медицины, я доказал, что основным направлением будущей медицины будет традиционная народная медицина, то есть медицина, основанная на природных факторах. Подтверждением этого является то, что созданные мною оздоровительные центры с двумя сельскими врачами, пятью медицинскими сестрами и хозяйственной службой за 3 недели пребывания в стационаре могут избавить 25—30 пациентов от заболеваний, с которыми не может справиться официальная медицина, и, что не менее важно, освободить их от лекарственной зависимости.

Все, что использовалось в официальной медицине, нельзя было применять в космической. Мы создали новое оборудование — (см. мою книгу «Космическая медицина — земной»), — портативное, безопасное, эффективное и т. д., — которым можно заменить до 40% существующего аналогичного медицинского оборудования, которое зачастую вредно для здоровья и опасно для жизни. Кроме того, для обслуживания этого оборудования не нужны высококвалифицированные специалисты, ведь в полетах пользоваться им учили космонавтов. Этим оборудованием можно оснастить маленькие больницы на периферии, а также внедрить в них мою оздоровительную систему, как это делается в нескольких оздоровительных центрах, которые я курирую.

Создан типовой проект, благодаря которому в районных больницах или в отдаленных уголках России главный врач со своими сотрудниками в течение 3 недель сможет оздоровлять 25—30 человек. Не надо никаких томографов, никакого сложного оборудования. Нужны обычные методики, которые используют врачи, освобождающие людей от лекарственной зависимости.

В Госдуме России мое предложение нашло понимание на высшем уровне. Но когда встал вопрос о реализации, то ведомства, отвечающие за здоровье в России, не нашли денег, необходимых для организации центров оздоровления. И вся моя экологическая система оздоровления человека, животных, растений, земли оказалась «никому не нужной»...

В настоящее время программой развития страны стало разрушение отдаленных неперспективных деревень, сел, малых городов и урбанизация больших городов. Но все хотят кушать, и население постепенно переводят на генно-модифицированные продукты и фуражный хлеб. Часть страны, которая обеспечивала не только себя, но и другие страны хлебом, экологически чистыми продуктами и создавала силу, мощь страны и здоровье людей, зарастает бурьяном.

Разработанная мной и проверенная на практике экологически чистая система на основе использования солнечной энергии малозатратна и высокоэффективна. Она комплексно оздоравливает воду, почву, устраняет бурьяны, исцеляет животных и людей. В стране на всех уровнях, от которых зависит жизнь страны, в частности создание оздоровительных центров, не нашлось 10 млн рублей стартовых средств. Вывод делайте сами.

А сейчас из-за бесперспективности закрываются маленькие больницы и медпункты, и население лишается медицинской помощи. Мерилом оценки состояния здоровья нации являются победы в спорте. Вспомните, как вся страна стояла на ушах из-за допинговых скандалов, хотя я уверен: дыма без огня не бывает. А кому нужны победы наших футбольных команд, укомплектованных иностранными игроками, получающими баснословные гонорары, на которые можно было бы с успехом оснастить оборудованием сотни больниц? Разве это рождает гордость за страну? А ведь когда-то действительно вся страна гордилась своими спортсменами...

Недавно один представитель власти заявил, что малые города неперспективны — их нужно объединять с мегаполисами. Но реализация этого проекта уничтожила бы основу России. Откуда может еще начаться ее возрождение? Возрождение начинается от земли, знания Природы, любви ко всему живому, желания сохранить его для потомков. На земле рождаются те люди, которые должны возвеличить Россию. Именно оттуда должно идти здоровье, а не из мегаполисов, жители которых понятия не имеют, «где растут булки».

Сегодня, к сожалению, любая сфера деятельности, от которой зависит наша жизнь, будь то экология, сельское хозяйство и другие, способствует тому, что все постепенно отравляется химическими веществами. А официальная медицина вносит свою лепту в этот процесс. Ее деятельность в нарушение всех законов Природы направлена на борьбу с любыми заболеваниями с помощью химических веществ, которые в ряде случаев никем не проверяются. То же касается и вакцины, поступающей из-за рубежа. Помимо этого развивается одно из направлений, связанное с генно-модифицированной продукцией, стволовыми клетками.

Например, в начале 2000 года ВОЗ запустила исследование лекарства из группы антибиотиков, которые сами по себе вызывают заболевание, с которыми уже не может справиться медицина. Россия как всегда идет своим путем. Сегодня пенициллин можно купить на каждом углу, а каждый врач назначает его по своему усмотрению. Между тем, эти антибиотики приводят к необратимым последствиям у детей.

Все, о чем вы узнали из этой книги, является основой для содержания вашего «помойного ведра» в чистоте, а следовательно, основой здоровья и жизни, подаренной вам Природой.

Наблюдая парад победы 9 мая 2016 года, я как военный подумал: это праздник со слезами (от радости, от печали) на глазах. Видя военную технику, которая создана, чтобы разрушать или убивать, испытываешь тревогу. Ракеты не имеют срока годности, и этого смертоносного оружия накопилось во всем мире столько, что его достаточно, чтобы разнести вдребезги наш земной шарик. Молодое поколение не знает, что такое война, а тем, кто знает, уже по 85 и больше лет. Они или больны, или все еще ждут своей очереди на получение квартир. В то время как те, кто это им обещал, и их дети давно живут в благоустроенных квартирах.

Для создания военной техники необходимы огромные средства, да и ее демонстрация обходится очень дорого. Спрашивается, зачем это нужно? Вспомните Вторую мировую войну: военный потенциал Германии был очень высок, но победил ведь дух советского народа.

Недавно в Сочи прошла Олимпиада, на подготовку которой было запланировано (в том числе на непредвиденные расходы (воровство) отпустить огромные средства. Однако эти расходы были увеличены в несколько раз не за счет сокращения средств Министерства обороны, а за счет социальной сферы. И хотя для России результат Олимпиады можно считать успешным, люди почувствовали социальную напряженность.

То же самое происходит при подготовке к чемпионату по футболу в 2018 году. Социальная напряженность еще больше усилилась, а средств для сохранения системы подготовки молодых футболистов не оказалось, она полностью разрушена. Такую страну не только извне, но и внутри можно брать голыми руками. В европейском чемпионате 2016 года на футбольном матче наша команда выбыла уже после первого круга. Смею предположить, что в 2018 году наши футболисты не смогут не только бегать по футбольному полю, но даже ходить или ползти, а иностранные легионеры, получая огромные гонорары, будут помогать коллегам из своих стран забивать мячи в наши ворота. Результат будет ошеломляющий.

Оказывается, все зависит от социальной сферы. Если она обеспечит людям достойную жизнь, здоровье и гордость за страну, в которой они живут, то их дух и обеспечит силу и мощь государства. Конечно, на всякий случай надо иметь одну пушку, которая будет стрелять на любое расстояние с отклонением от точки прицела плюс-минус пять метров. Этого достаточно, чтобы враг боялся нашей страны. Такую страну не только будут уважать, но на полях спортивных сражений все золото будет наше.

***

Здоровья и удачи я желаю вам на жизненном пути, ибо как вы мыслите, так и живете, какую цель ставите перед собой, того и достигнете. Все зависит от вас, а в случае появления у вас проблем со здоровьем обращайтесь к нам, мы вам поможем быть здоровыми и сохранить активное долголетие.

Иван Павлович Неумывакин,
доктор медицинских наук, профессор, действительный член Международной академии милосердия, Европейской и Российской академий естественных наук, лауреат Государственной премии, Заслуженный изобретатель России, номинант Международной премии «Профессия — жизнь», удостоенный общественного признания «Персона Россия»

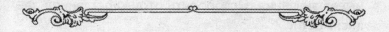

ПАМЯТКА ПАЦИЕНТУ

Неумывакин И. П. один из основоположников космической, традиционной, народной медицины. В течение 30 лет разрабатывал систему оказания медицинской помощи космонавтам при полетах различной продолжительности — тема докторской диссертации 1982 г.

Эффективность его системы доказывает то, что при полетах в Космос уже более 50 лет никто из космонавтов не болел.

Оздоровительная система, несколько измененная в применении к земным условиям, позволяет:

• произвести коррекцию нарушенного природного механизма физиологического способа приема и переработки пищи;

• очистить организм от шлаков с помощью физиологического голодания;

• нормализировать кислотно-щелочной баланс, водно-солевой обмен, бактериальную кишечную микрофлору;

• поддерживать мышечную систему в активном состоянии, обеспечивающую перекачку жидкостного конвейера и др.

Предложенный комплекс позволяет избавить пациента от уже имеющихся у него проблем со здоровьем, а также предупредить возможность возникновения заболеваний, характер которых не имеет значения. Освободить от лекарственной зависимости.

Человек — самодостаточная, саморегулирующая система, которая в зависимости от направленности сознания должна быть здорова.

В оздоровительном центре никого не лечат, здесь учат, как быть здоровым самостоятельно с нашей помощью.

Заболеваний как таковых нет, а есть состояния, зависящие от степени зашлакованности.

Человек должен беспокоиться о своем здоровье не тогда, когда он заболел, а когда у него ничего не болит.

Человек здоров настолько, насколько он сам хочет быть здоровым. В противном случае ему никто не поможет.

Учитывая многолетний опыт и множество написанных книг, Иван Павлович в обобщенном виде рассказывает, от чего зависит наше здоровье, и что вы должны знать как таблицу умножения.

Первый и главный фактор в борьбе за здоровье — достаточное употребление **чистой воды**, которая является основой нашего организма.

Вторым фактором, от которого зависит наше здоровье, является **питание**.

Третьим немаловажным фактором, которого недостает для переработки пищи, является **кислотно-щелочное равновесие**, которое также игнорируется официальной медициной.

Четвертый, тоже важный фактор здоровья — **чистый кишечник.** Рассматривать весь желудочно-кишечный тракт, как помойное ведро, в котором находится около 10 л пищеварительных соков. И чем они грязнее, тем тяжелее заболевание. Если очистить желудочно-кишечный тракт, особенно толстый кишечник, в комплексе с другими мероприятиями, то тем самым нормализуем все обменные процессы в организме, т. е. оздоравливаемся. И содержим организм внутри в чистом виде.

Пятой важной составляющей оздоровительной системы И. П. Неумывакина являются **физические нагрузки.** Известно, что любая физическая работа ускоряет обмен веществ, что связано с повышением потребления энергии, образующейся в результате окисления углеводов и жиров.

О пользе физических упражнений знают все, но мало кто их делает. Большинство людей считают, что для этого необходимо много времени, и предпочитают тратить его на более важные, по их мнению, чем собственное здоровье, дела. Иван Павлович рекомендует найти минимальное время для ежедневной оздоровительной физической нагрузки в домашних условиях.

Существуют различные школы физического воспитания, у каждой из них есть свои достоинства и недостатки. Личный опыт занятия физкультурой и опыт работы с олимпийскими командами позволил ему создать небольшой комплекс упражнений, который под силу выполнять не только здоровым людям, но и пожилым, и больным. Если вы будете его выполнять, то создадите организму тот жизненный тонус, который будет способствовать здоровью и долголетию. Эти упражнения направлены в основном на разгибание, растяжение и вращение.

Внимание! Имеются противопоказания для выполнения упражнений — выпадение межпозвонковых дисков, соскальзывание позвонков, грыжа Шморля, острые и неотложные состояния. Следует ограничивать движение при варикозном расширении вен, трофических язвах, отеках.

Небольшие рекомендации:

1. Теплая, чистая вода выпивается за 10—15 минут до еды и только через 1,5—2 часа после еды. Ее надо пить маленькими глотками, как бы жуя, насыщая слюной. В промежутках между едой можно пить прохладную воду, согревая ее во рту.

2. Еда должна быть однородная. Например, закуска — первое блюдо, закуска — каша объемом не более 1 л. Вскоре вы заметит, что вы съедаете пищи в 1,5—2 раза меньше, а здоровеете быстрее. В знаменательные дни возможны нарушения режима, только после этого чтобы остались приятные воспоминания об этих событиях.

3. Кушать 3 раза в день. Последний прием пищи — легкий ужин не позднее 19 часов. В вечернее время допускается прием кисломолочных продуктов, фруктов. Перекусов между приемами пищи никаких не делать. Хотите кушать — вам нужна не еда, а вода. Крепкий чай, кофе, минеральную воду не из источников не употреблять. Фрукты использовать между приемами пищи.

4. Ложиться спать не позднее 23 часов.

5. Пища должна быть хорошо пережеванной и как можно больше пропитана слюной. Ее нужно не глотать, а пить.

6. Не надо забывать про «периферическое сердце», это — состояние мышц, особенно ног, которые всегда надо поддерживать в определенном тонусе с помощью различных упражнений, прогулок, гидропроцедур.

Предлагаемый метод физиологического голодания — это единственный метод, который практически гарантирует вам здоровье и активное долголетие. По вере вашей — воздастся вам!

Показания: все, кто считает себя практически здоровым (с нашей точки зрения, вы уже больны), инвалиды III группы, II группы — после предварительной договоренности.

Противопоказания: инвалиды I группы, III степени, III стадии.

ОГЛАВЛЕНИЕ

ПРЕДИСЛОВИЕ 5

ВАША РОДОСЛОВНАЯ И НАША ПЛАНЕТА............... 16

    Преемственность поколений 24

    Душа человека 34

КАЖДЫЙ МОЖЕТ И ДОЛЖЕН БЫТЬ ЗДОРОВ 44

ВОДА В ОРГАНИЗМЕ... 54

ПЕРЕКИСЬ ВОДОРОДА 63

АЛКОГОЛЬ — ЗЛЕЙШИЙ ВРАГ ЗДОРОВЬЯ 67

    В чем причина пагубного влияния
    спиртных напитков на организм 70

    Как алкоголь влияет на поджелудочную железу 71

    Как алкоголь влияет на печень............................ 75

СОДА 80

СОЛЬ 84

САХАР 87

    Сахарный диабет 96

    Исповедь диабетика 110

ПРАВИЛЬНОЕ ПИТАНИЕ:
И БУДЕТ ПИЩА ЛЕКАРСТВОМ............................... 114

    Раздельное питание 125

    Молоко 142

    Неправильные жиры — враги нашего организма 157

ЗАШЛАКОВАННОСТЬ ОРГАНИЗМА
И ЕГО ОЧИСТКА 174

ОЧИЩЕНИЕ ОТ ПАРАЗИТОВ 181

ФИЗИЧЕСКИЕ НАГРУЗКИ 190

    Комплекс упражнений 196

ОТДЫХ 207

    Информация к размышлению 215

    Зачем человеку отпуск 222

ПОСТУПКИ И НАМЕРЕНИЯ 227

    Человек управляет своей судьбой и здоровьем 227

    Человек должен жить по законам Космоса 232

    От состояния психической энергии зависит здоровье 234

ПОСЛЕСЛОВИЕ 237

ПАМЯТКА ПАЦИЕНТУ 245

Фирма «ДИЛЯ»

приглашает к сотрудничеству книготорговые организации,
а также на конкурсной основе авторов и правообладателей.

Москва: тел. (495) 651-05-65 (многоканальный)
            моб. тел. +7 (985) 844-18-51
Санкт-Петербург: тел./факс (812) 378-39-29

107082, Россия, Москва, Рубцовская набережная, д. 3, стр. 4
www.dilya.ru
E-mail: dilya2@list.ru *(Москва)*
        spb@dilya.ru *(Санкт-Петербург)*

Уважаемые читатели!
Книги «Издательства «ДИЛЯ» вы можете приобрести
наложенным платежом, прислав вашу заявку по адресу

198095, СПб., Митрофаньевское шоссе, д. 18, литера Ж,
ООО «Фирма «Диля».
E-mail: post@dilya.ru

Почтовый каталог книг «Издательства «ДИЛЯ» высылается бесплатно.
Просьба не забывать указывать свой почтовый адрес, фамилию, имя
и контактный телефон.

Неумывакин Иван Павлович

ОЗДОРОВИТЕЛЬНАЯ
СИСТЕМА ПРОФЕССОРА
И. П. НЕУМЫВАКИНА
Ваша родословная

Книга издана в авторской редакции.

Ответственный за выпуск   С. С. Раимов
Корректор   Л. Г. Алешичева
Художественный редактор   И. Н. Фатуллаев
Оформление и верстка   К. Б. Муганлинский

Подписано в печать 28.05.16. Гарнитура «PetersburgC».
Формат 84×108 ¹⁄₃₂. Усл. печ. л. 13,44. Печать офсетная.
Доп тираж 5000 экз. Заказ № 442.

ООО «Издательство «ДИЛЯ»
198095, Санкт-Петербург, Митрофаньевское ш., д. 18, лит. «Ж».

Отпечатано по технологии CtP
в Первой Академической типографии «Наука»
199034, Санкт-Петербург, 9 линия, д. 12/28
Телефон: (812) 320-69-46, факс: (812) 323-50-27